國家古籍整理出版專項經費資助項目

栖芬室

栖芬室藏中醫典籍精選·第三輯

慈惠小編

【清】錢守和　吳煥　輯

中國中醫科學院中醫藥信息研究所組織編纂

牛亞華◎主編　　　　　　孟慶雲◎提要

北京科學技術出版社

栖：江湖芳：芷展⻊席
萬泉月顯貴此室⺊為人宝
浮隨使唯屯清芬偕于栖出右
為金久范名行淨自供栖芳宝
詔商世貝以舊志蓄建大中圖盖
學夫書博需典籍川洪甄氏五伴諳
君之寓厪邊茂積書必羞与惟從
光于出屯悠悠舍者勤瓶播遺事
不以為黑乃楊亥寫齋曰栖芬
宫盍句焰屯紀寳亥奈嘉只
英革芸學胲契故壽屯穎若賽
戳言以貽些華辰文緖德辰記

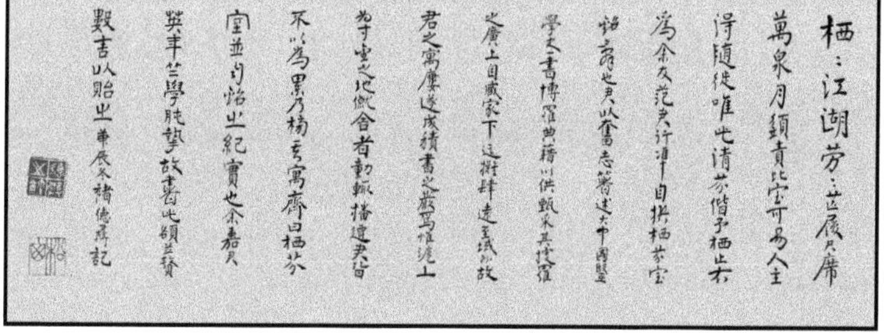

圖書在版編目（CIP）數據

栖芬室藏中醫典籍精選·第三輯．慈惠小編/牛亞華主編．—北京：北京科學技術出版社，2018.1

ISBN 978－7－5304－9240－6

Ⅰ．①栖…　Ⅱ．①牛…　Ⅲ．①中國醫藥學—古籍—匯編②方书—中國—清代　Ⅳ．①R2-52②R289.349

中國版本圖書館CIP數據核字（2017）第213679號

栖芬室藏中醫典籍精選·第三輯．慈惠小編

主　　編： 牛亞華
策劃編輯： 章　健　侍　偉　白世敬
責任編輯： 楊朝暉　周　珊
責任印製： 張　良
出 版 人： 曾慶宇
出版發行： 北京科學技術出版社
社　　址： 北京西直門南大街16號
郵政編碼： 100035
電話傳真： 0086-10-66135495（總編室）
0086-10-66113227（發行部）　0086-10-66161952（發行部傳真）
電子信箱： bjkj@bjkjpress.com
網　　址： www.bkydw.cn
經　　銷： 新華書店
印　　刷： 虎彩印藝股份有限公司
開　　本： 787mm×1092mm　1/16
字　　數： 325千字
印　　張： 27.75
版　　次： 2018年1月第1版
印　　次： 2018年1月第1次印刷
ISBN 978－7－5304－9240－6/R·2398

定　　價：720.00元

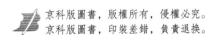

《栖芬室藏中醫典籍精選》編纂委員會

前言

范行準先生是中國醫史文獻研究的開拓者之一，其成就之巨大，至今難以逾越；他也是著名藏書家，其栖芬室以收藏中醫古籍聞名於世。與一般藏書家不同的是，范行準先生搜求醫籍的初衷并非只爲藏書，而是爲開展醫史研究收集資料，因此，他的藏書除注重醫籍的版本價值外，更重視文獻的稀缺性和學術性。他説：『予之購書，善本固所願求，但應用與希覯孤本，尤亟於善本也。』足見他對購求孤本和稀見本比善本更爲迫切。他的藏書不僅有元明善本，還有大量的孤本、稀見本、稿抄本，這更是其藏書的一大特色；他還特别注重圍繞某個專題進行搜集，如爲了研究中國免疫學史，他搜集了大量疫病、痘疹和牛痘接種的相關文獻；他在本草、成藥方、中西匯通醫書的收藏方面，亦有獨到之處。

長期以來，研究者一直期望將栖芬室藏中醫古籍珍本系統整理，影印出版。在國家古籍整理出版專項經費的資助下，我們已甄選栖芬室藏元明善本、稿抄本以及最具特色的『熟藥方』，并加以編輯整理，邀請專家撰寫提要，且分别於二〇一六和二〇一七年相繼影印出版了栖芬室藏中醫典籍精選第一輯和第二輯，受到學界歡迎。上述兩輯出版的著作，僅爲栖芬室藏書的一部分，除此之外尚有許多醫籍值得醫界研究和利用。此次我們又獲得了國家古籍整理出版專項經費的資助，選取了十餘種明清孤本、善本和有實用價值的醫籍影印出版，是爲栖芬室藏中醫典籍精選第三輯。

作爲『栖芬室藏中醫典籍精選』項目的收官之作，本輯在書目的選擇上尤難决斷，栖芬室所藏珍本甚多，内容廣泛，難免顧此失彼。我們希望所選書目既能兼顧臨床實用與文獻價值，又能體現栖芬室藏書的特色和范行準先生的藏書理念。

基於上述考慮，本輯入選書目大多臨床實用與文獻價值兼具。如醫略正誤概論是少見的針砭時弊的作品，該書十分注重常見病尤其是熱證的鑒别診斷，是關於熱證最全面的論著。女醫雜言是罕見的女性醫家的著作，也是較早的醫案著作，所記案例均爲女性病人，内容細緻入微。衆妙仙方是明代官吏馮時可在廣西爲官時，發現當地缺醫少藥，迷信巫術，爲改變這種狀況而作，收方切合實用。新編名方類證醫書大全、慈惠小編、脉微等均具有較高的臨床價值。

在版本和文獻價值方面，本輯所收有不少爲海内外孤本，如上述的醫略正誤概論、女醫雜言、慈惠小編及秘傳常山敬齋楊先生針灸全書等爲天壤間僅存之碩果，且其中一些還入選了國家珍貴古籍名録，其版本和文獻價值自不待言。有些入選醫書雖然現存不止一種版本，但也獨具特色。如衆妙仙方，現存三種版本，本次所選爲萬曆刊本，印刷年代雖在三種版本中最晚，但經比對發現，該版本與其他兩種版本有較大差异，應是其初刊本的翻刻本，反映了該書最初的狀態，對研究該書版本及修訂演進有重要價值。再如醫説，版本衆多，民國至今，我國已出版的影印本多達二十餘種，但是，這些影印本所據底本僅宋刊本、四庫全書本和顧定芳本三種。本次選用的張堯德刻本，經籍訪古志補遺評價其爲『依顧定芳本而改行款字數者，然比之顧本，仍能存宋本之舊』。該版本序、跋最全，存本亦少，對於考察醫説的版本源流以及校勘均有重要價值。

棲芬室藏書中，有不少和刻本中醫典籍，本次選編的熊宗立新編名方類證醫書大全爲這類書的代表，該書刊刻於日本大永八年（一五二八），是目前已知的日本翻刻的第一部中國醫籍，也是日本博多本的代表作，本身具有很高的版本價值。其底本是明成化三年（一四六七）熊氏種德堂刻本，翻刻本連原刻本的牌記都原樣照刻，而原刻本國内已無存。有學者曾將該翻刻本與日本藏明成化三年原刻本對比，認爲二者的版式、行款俱同，從該和刻本還可以窺見原刻本之面貌。該和刻本後有日本著名學者幻雲壽柱的校勘記，這是中日醫學交流的重要見證。

范行準先生因明季西洋傳入之醫學一書蜚聲學界，其藏書中亦不乏中西匯通著作，如徹臟八編·内鏡收載了一些西方傳入的解剖生理學知識，是現在所知最早的中西匯通醫書，國内僅兩家圖書館有藏，亦屬珍貴。近年來，該書引起學界關注，屢被引用，但對其系統的研究工作還有待開展。

棲芬室藏書中，還有一些醫學學術價值雖然不高，但却能據以了解醫學在市井平民間傳播方式的普及性書籍，繡像翻症即屬此類。關於該書，范行準先生曾在棲芬室架書目録按曰：『「翻症」之自來未聞，嘗殫思不得其解，頃重整書目，又觸及此書，忽悟「翻」乃「番」之借字，諸言霍亂由外番傳入，故亦稱「番痧」。而因患者嘔吐猝倒，北方稱爲翻倒，因有「翻症」之稱。』該書後附售賣各種成藥的名單，因而范行準先生『疑亦當時藥肆宣傳品』。書中用動物和人的形象表示疾病的症狀，如『烏鴉狗翻症』上方繪一鴉一狗，下方繪一跌倒地上、口吐穢物的病人。文字則書寫症狀、治法，形象生動。中國中醫古籍總目收載有該書的三種版本，最早爲同治年間刊本，本次影印者爲更早的咸豐元年文林堂刻本，爲中國中醫古籍總目所漏載。

在第一輯的前言中，我們已對范行準先生和栖芬室藏書做了介紹，但是在本項目即將完成之際，仍情不自禁感念先賢保存中醫古籍的豐功偉業。范行準先生出身貧寒農家，本是放牛娃，斷續讀過兩年小學，靠自學考入上海國醫學院，在師友接濟下才得以完成學業。寒門子弟，本應與藏書家的名號無緣。但是，范行準先生對醫史文獻研究産生了濃厚興趣，爲此他開始搜求醫籍，以供學術研究之用。抗日戰争爆發後，珍貴圖書散落市井，他又『念典章之覆没，感文獻之無徵』，終日流連於書肆冷攤，節衣縮食，不惜典當借貸，購買醫籍，竟憑一己之力，使大量珍貴醫籍免遭兵燹之厄，存留至今，爲我們所用。

范行準先生是公認的藏書家，但他却不願以此自詡，他説：『有人曾經稱我爲藏書家，老實説我是不太喜歡這個詞的，我認爲「書」是供人閲覽和參考，而决不是讓人來觀賞的，否則無論多麽珍貴的書都會成爲一堆毫無價值的廢紙。』中國傳統的藏書家往往將自家藏書作爲案頭的清供與把玩件，不輕易示人，但范行準先生則視『書物爲天下公器』，在自己頭腦尚清醒之時，即將栖芬室藏中醫典籍悉數獻出。這些藏書不僅價值連城，而且耗費了他畢生心血，亦讓他在感情上難以割捨。他説：『這些書籍跟隨了我三十餘年，它們和我朝夕相處，是我的良師益友，我也把它們當作自己的孩子來愛護，現在讓我一下子離開它們，我心中自然是异常地難捨難分，但是在我有生之年能够看到我酷愛的書籍將爲整個社會、整個中醫事業做更大的貢獻時，我感到無限的幸福和光榮。』

『爲整個社會、整個中醫事業做更大的貢獻』是范行準先生生前的崇高願望，栖芬室藏中醫典籍精選的整理出版，正是以實際行動繼承范行準先生的遺志，以期爲發展中醫藥事業貢獻力量。

栖芬室藏中醫典籍精選總計三輯，它能够順利出版，有賴國家古籍整理出版專項經費的資助，中國中醫科學院中醫藥信息研究所領導和各位專家的支持，以及古籍研究室同事和北京科學技術出版社編輯的辛勤工作。在此一并致謝！

牛亞華

二〇一七年十一月九日於中國中醫科學院

目録

栖芬室藏中醫典籍精選·第三輯

慈惠小編

提要　孟慶雲

内容提要

慈惠小編上、中、下三册，清乾隆四十年乙未（一七七五）刊本，是范行準先生栖芬室藏中醫典籍精品選本之一。

這是一部關於急症的方書，相當於現代的急症手册。輯者錢守和、吴焕都是浙江吴興名醫，以慈愛之仁選纂此書。錢守和，字靖邦，號黨非。吴焕，字耀賓。錢守和是吴興名士，在吴興縣志中有傳。在此書刊刻過程中同里人金萬全、費守美（字上達）共同參訂。此書書目之前除有錢守和的自序外，還有號爲雲房山人、一山主人的兩位名人分别撰寫的序言。書名已昭示了纂書目的和書的特點。『慈惠』即心懷慈仁以技惠人，利人利世，使人共臻春臺之樂，無疾病夭札之侵之意。向佛稱『小』者，即劉孝標注世説新語所云『詳者爲大品，略者爲小品』之意。

古代治急症之法，多載於各科方書中。魏晋時方書大行其道，學人喜歡搜集有效方劑，輯成方書，甚至將醫書泛稱爲『方書』，張仲景的傷寒雜病論也一度被稱爲張仲景方，且醫家寫書，重在以治方應對病證，并將其引重爲承傳的學統。從肘後方成書之時到清代，方書在醫籍中所占比重最大，但急症專書并不多見。本書博綜典籍，搜羅宏富，堪爲古代急症諸書的翹楚。此書不僅援用經典名著，還引用了很多現已亡佚之書，如談野翁方、筆珠萃、潘霞山秘録、筆苑仙丹、事海文山、法天生意、通變要法、愛日堂傳方、魯班方等，保存了豐富的學術信息。作者以專業的敏感性和判斷能力，從古代筆記文史等非醫學著作中，收録了一些真實有效且易於操作的急症治方，使其不被淹没，而被收入醫書中，使其作者們隔行傳名，如韻亭隨筆、願體集、陰騭文注證刻、曾公談録、北户録、鐵圍山叢説、研北雜志、事林廣記等書的作者們就因此而享名入籍。

在諸急症書中，以本書分門别類的框架最爲系統、優良。開篇縊死、溺死、凍死、魘死、自刎的『五絶死症』，及之後的『中惡卒暴怪异門』『跌撲傷損急救門』『湯火傷灼急救門』『諸血危症急救門』『大小便閉急救門』等爲上卷。『婦人難産急救門』『小兒痘症危絶急救門』『中毒死絶急救門』等九門爲中卷。『古方神治門』『食忌急救門』『奇疾急救門』三門爲下卷。共列二十三門，二百五十四類，周詳之至。本書既集歷代急救醫學之大成，又展現了與時代醫療技術、物質條件偕進的徑迹。

作者選方有驗有據，非常嚴謹，絶非有聞必録。作爲方書，本書以契合理論、切中病情爲首要。如本書『凡例』所説，本書『擇其中正而切以病機，載在各證條下，以便檢擇』。本書將辨證論治的機制和原則貫穿全書，又在叙述中，對藥物、方劑、器械、操作步驟各環節的觀察要點進行了詳細而有條理的介紹，可見作者是治急症的上工，而非常醫或文人。本書除語言文雅之外，還引用了一些歌訣，既準確表達又便於記憶。如作者引用普濟方中腹内龜病（腫塊）歌訣：『人間龜病不堪言，肚裏生成硬似磚。自死僵蠶白馬尿，不過時刻軟如綿。』又如其引自便宜良方的催生歌：『一烏（頭）三巴（豆）七胡椒（一、三、七是劑量比例），細研搗爛取成膏。酒醋調和臍上貼，便令子母見分胞。』因此，急症方書有適宜家庭急救的作用，作者索性在卷下列一『古方神治門』，將一些居家常見，如蛇蟲傷害及養老健身的方子，列於門下，如孔聖枕中丹、狀元丸、讀書丸等增强記憶或緩解老年痴呆的藥，以用於急救及保健，且這也有上工治未病之意。因此，此書有家庭必備的價值。

值得稱道的是，本書還優選了一些絶招奇技，如卷上『跌撲傷損急救門』中，『接骨不痛』一則所載之法可使患者在接受治療時不感疼痛，正合『一旦臨證，機觸於外，巧生於内，手隨心轉，法從手出』（醫宗金鑒·正骨心法要旨）之意，且可弘揚醫家以機生巧之惠心。還應注意的是，卷中『婦人難産急救門』中的救治婦人難産、横生逆産、盤腸産、産後腸出等産科急症的方法，在清代末葉已成絶學，且現在已不被列入中醫院校課程了。這方面的科學遺産，却保存在本書之中了。還應該提及的是，在當時歷史條件下，一些方劑用了諸如屎、尿之類的藥，隨着時代的進步，這些藥現早已不用了，但本書中的絶大多數方劑和藥物，目前仍沿用不衰。實用性即是本書的傳世價值所在。

本書名慈惠小編，雅致之極。司馬遷史記·太史公自序曰『慈惠愛民曰文』，『慈惠愛親曰孝』，本書傳愛民愛親之仁術，至文至孝，且在當代仍有實用性，故爲健康寶命之醫典。

孟慶雲

涉參醫理輒思以手活人嗚呼以手活人何如以心活人以手活人者縱使功在一時一人為功已有限以心活人者

惟在利人利物而利更
無窮儻使執古方而
昧、時使病者如瞎
室索燈吾則捕風
捉影、則天地之霧氣

日迴環於太虛沖穆之間而人心之靈機獨執滯於內經脉訣之際也豈可以活人心術施活人手段爭請生書還

聖明仁壽之朝綏合太和
共臻春臺之樂刻所以
使傳海內外共遊含
哺鼓腹之天而無疾
病夭札之侵者豈不深

賴此活人心術施活人手段以爲此培元益壽之基哉孔子曰惟仁人爲能愛人先儒謂人心有仁如菓中有核推而廣之生生之

意只在此靈臺一點之中矣聚是書及梓是書者其亦有一念之仁乎果報之說醒賢佛道同爲序數語于簡端云

乾隆乙未重九日雲房山人書於小瀛之讀書廬

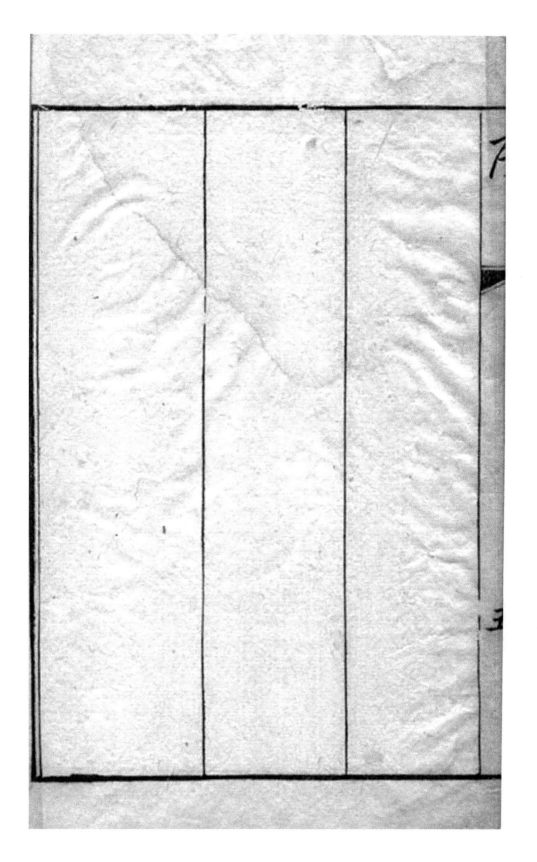

天地有好生之德人世疾病夭札多由七情六慾風寒燥濕但能惜身養命以滋培後天即先天不老之本也自黃帝

岐伯醫家鼻祖以後因經著書成家代有其人有其説總不外乎効脉對症耳以今所列救治单方雖本古法參以

世俗之見者有之然其
心存濟世亦可嘉也爰
爲别其門類刪其蕃蕪
爲簡括如左錫名慈惠
小編四方好善者廣而

行之
乾隆乙未新夏一山全
人書

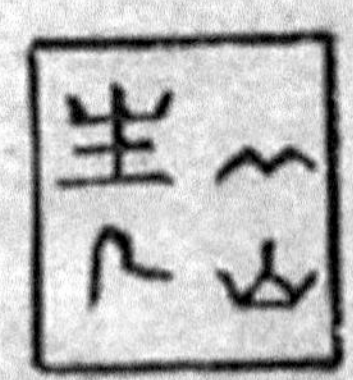

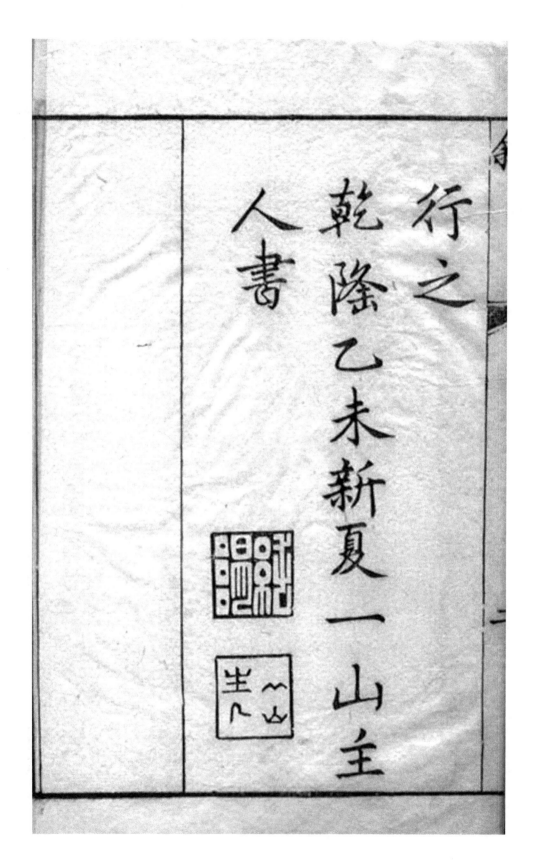

嘗讀周禮有云醫師掌萬民之疾病以五味五穀五藥養其病以五氣五聲五色眡其死生甚矣醫之所係大矣哉夫人之疾病有輕重緩急之辨因而有輕重緩急之道以治之自其輕者

後者言之兩之以九竅參之以
九藏徐以察其疾之所由來推
而至於疾之所終極顯微闡幽
瞭如指掌而後養之五味五穀
五藥之類此精於醫學者所能
預料於未然而有以知其必然

者也若夫患生於須臾變起於倉卒智不暇施巧仁不及施恩雖有盧醫扁鵲之技不得用奄々一息懸於頃刻豈不殆哉間嘗見世之疾作往々出於所倫之外或朝發暮死甚且至於隨

作而隨死者嗚呼夭壽命也固不可強而致也惜無有仁人君子網羅古來倫載良方及世傳秘方彙而訂之傳之當時施之後世俾身受者沐再造之恩也夫天下嘗有有是心而力不足

者亦有力可舉而無是心者此救急良方久不傳於世矣余亦力不足者而竊有是心而又幸同里諸君子踴躍鼓舞慨然捐資共襄此事如金君萬全費君上達吳君耀賓者與余共晨夕

博採舊聞考訂詳審除古方經
用已效者備載外少有疑似或
一二有未徵實者僅著其目不
敢妄載其方謹俟當代大人先
生拾遺補闕釐而訂之以共體
十全爲上之意未始非周禮醫

師立教之本焉是爲序

乾隆乙未九秋下浣雙溪錢守和覺非氏謹題

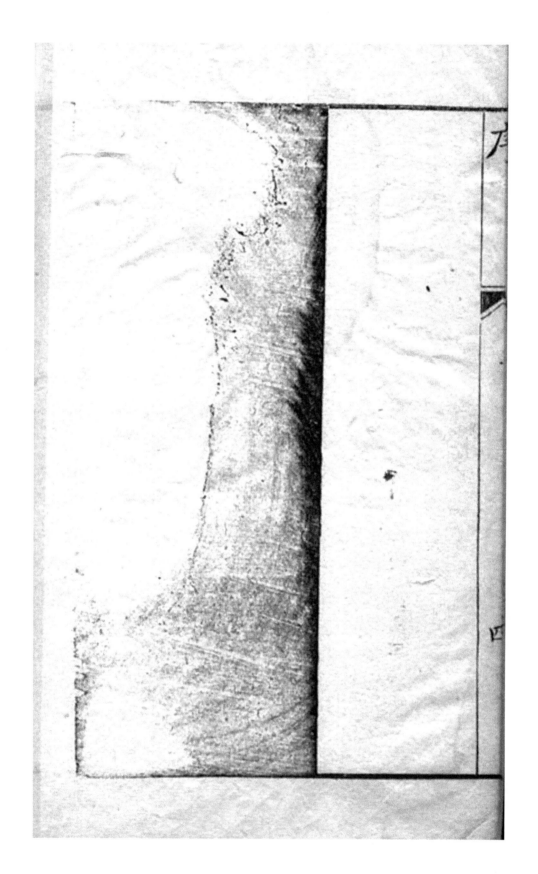

凡例

一是刻原爲備急而設故一切世所恒用之品及藥味太多者恐倉猝無從覓取概不收録

一是刻採食物單方居多所以便窮鄉僻壤之無葯者亦以便貧窶無力延醫者用爲

一方中有切要之藥世所恒用者註之有險僻不恒用者茲不贅入

一方中分兩製度或有或無或詳或畧皆仍諸書之舊

一凡先賢秘方無從稽考爲其人所著者必註見某書

以便考據

一古方繁多有相類者有險僻者有偏寒偏熱者擇其中正而切以病機載在各證條下以便檢擇

一救急之刻無慮充棟然有此刻未備彼刻悉之及此刻所載彼刻又缺窮搜極構造無全書今博採諸家更求廣備使患者一覽無遺

一是集披閱者實多補備博雅君子更以佛心仙手廣爲增訂傳布四方幸甚幸甚

慈惠小編目録

卷上

五絶死症金瘡急救門

中惡卒暴怪異門

跌撲傷損急救門

湯火傷灼急救門

咽喉危絶急救門

諸血危症急救門

疔瘡惡毒急救門

中風死危急救門

卷中

婦人難産急救門

中毒死絕急救門

小兒驚風諸症急救門

諸蟲咬傷急救門

諸獸咬傷急救門 附人咬傷

卷下

古方神治門

食忌急救門

奇疾急救門

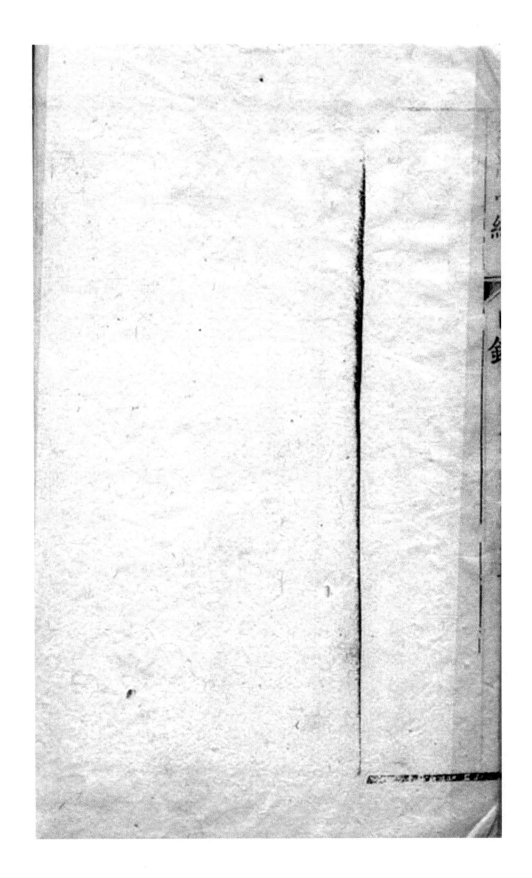

慈惠小編卷上

吳興　錢守和　纂輯
吳　煥
同里　金萬仓　仝叅訂
費守美

五絕死症金瘡急救門

縊死切不可割斷繩索急用手裹衣物緊塞穀道抱起解索放得平正揪髮向上揉其頸痕捻圓喉管脚踹兩肩用細筆筒或蘆管不住吹氣入耳熱手撫摩至

胸前或刺雞冠熱血滴口中男用雌雞女用雄雞鼻氣即轉再屈伸其手足若氣不接則以手輕打腰三四下或以皂角末搐鼻如氣脫時久多吹多摩勿謂已冷忽略不救張仲景言自縊者自旦至暮雖已冷必可治暮至旦則難此言陰氣盛故也然夏天夜短於晝又時熱應可治若心下微温者一日以上猶可治

救絶仙丹用山羊血三錢菖蒲二錢人參三錢紅花一錢皂角刺一錢製半夏三錢蘇葉二錢麝香一錢各

為末蜜為丸如龍眼核大酒化開下修此丸時端午日妙如臨時不必如許之多十分之一可也此方神奇之極閒時修合大可救人若到臨期緩不濟事此方不但救五絕凡有邪祟昏迷一時猝倒者皆可灌之以起死回生也 石室秘錄

五絕皆用生半夏研細末冷水和丸如小豆大塞鼻中并燥末吹耳內心溫者死一日猶可活奈世人不曉因氣絕多不救惜哉又急於人中穴及兩足大指離甲一韭菜葉各灸三五壯即活 感應篇後集

一方用雞屎白如棗大酒半盞和灌及鼻中妙并用雞血塗喉下或以蔥心刺耳鼻中血出即醒便易良方

一方凡自縊由鬼祟俗名討替代者即些小絲繩綾帛亦易致死一有知覺手解帶下抱救如前法隨即用硃砂一錢生半夏二錢歸身二錢降香二錢生姜二錢酒煎灌下大效蓋縊死必痰湧血注氣閉纔絕今用硃砂鎮心辟邪半夏生姜豁痰通關歸身引血歸經降香止痛辟邪導氣加之濃酒煎滚乘熱撬開口一氣灌下一二茶鍾有何氣之不可蘇而瘀血之

凝注哉再一方凡自縊由憂愁困鬱忿激而致死者急當用人參二錢以提挽真氣之已絕用白芍五錢酒炒補肝血而至厥陰更加附子一錢領引諸藥直逞回陽之性再以肉桂一錢氣厚純陽疏通血脉歸身二錢引血歸經去瘀生新又加童便為還元之水加一鍾好酒仝煎速為灌下大可體天地之好生重救死絕於一綫也筆花仙丹

杜絕縊死後患之法急於懸縊之地用大石鎮壓于所鎮四面深為挖掘將所鎮土中層層撥視或三五寸

或二三尺定有如雞骨等類之物取出焚化可絶將來之患稍遲則入地日深此處常有縊死人矣屢試累驗寔非幻妄　江蘇臬臺胡諱季堂刻急救方

按此法明載洗冤録内地方賢有司當相驗縊死之日曉諭愚民如法行之爲功不小昔歸安賢令裘公諱思芹常舉此條諄諄示人遺愛到今

溺死切忌倒提出水火烘無救用鍋子合地急令死腹對鍋臍覆上人扶牢徐徐推鍋横移走筋夾口中出腹中水即活或急以老姜研末擦牙口噤者攪開横

一牙筋用灶灰一石埋之從頭至足惟露七孔良久即醒凡心坎尚溫者以大櫈覆臥足下櫈脚用厚磚二塊墊高將鹽擦臍中待水自流出再用鴨血灌口中水從大小便出即活或以紙裹皂角末納下部臀縫須臾出水即活大忌火烘逼寒入內必死各部彙鈔

一凡溺死由鬼祟其耳鼻必有青泥塞住或口鼻出血姑試一效急脫健人身上熱衣覆其身急以細辛皂角生姜末用人熱氣吹入口中鼻中急用大黃一錢上好肉桂一錢細辛一錢甘遂一錢降真香一錢

硃砂雄黄各五分好酒煎熱灌下可活　筆苑仙丹

一凡悞溺水者宜昂頭急提關元之氣屏口不使吃水

凍死及落水凍死謹按洗寃録凍極之人雖纖毫人事不知但胸前微温皆可救或微笑必欲急掩其口鼻如不按則笑不止不可救更不宜驟使近火須用布袋燒熱爐灰放心口擦摩如冷又換待眼開以温酒姜湯灌之若用火烘則冷氣與火争必死

又法凍死微有氣者脫去濕衣解活人熱衣包之用

大米炒熱熨心上

魘死如原有燈只可切勿火照但痛咬其脚跟或咬大拇指而唾其面或以皂角末吹入鼻中得嚏醒或以梁上塵納鼻中即醒或用姜汁一鍾入麻油一鍾煮熱灌下再以熱掌撫摩胸腹及脇肋等處稍醒即服童便

又方灶中心對鍋底土搥碎為末每服二錢新汲水調灌更挑半指甲許滴入鼻中 吳興楊氏傳方

又方用蘆管吹兩耳或以盐湯灌之或搗韭汁半杯

灌鼻中　仝上

壓死并跌撲死從高墜下及木竹所迮落馬撲車瘀血凝滯氣絶欲死者用浄土五升蒸熱以舊布重裹作二包輪流不住熨盪胸前及傷處勿大熱恐破肉知痛則止

一猝墮壓倒打死心頭尚温猶可救将本人如僧打坐令一人将其頭髮控起用半夏末吹入鼻中如活却以生姜汁香油打匀灌之或急解去衣用艾灸臍中或急用童便一碗温服以免惡血攻心如出血不

止頂好降香刮末摻上血冲欲死切忌吃冷水急用韭菜汁或熱童便灌之効

瘀血痛危歸身尾五錢大黃酒蒸一兩桃仁二十粒研酒服去瘀立効 吴興錢青掄單方摘要

加料護心散宜急服之乳香净末三錢硃砂一錢歸尾甘草末各一錢琥珀一錢黄蠟一錢真荳粉二錢雄黄一錢降香末二錢各碾極細末溫酒急服七八錢瘀血不攻心立止痛如研末不及溫酒二碗煎一碗服如本虛弱人加人參一錢立効 愛日堂傳方

八厘散土鱉一錢焙末乳香末藥血竭各一錢大半夏生用當歸酒浸巴霜砂仁雄黃香甜瓜子各五分為末收貯聽用每服八厘好酒下小兒三厘如壓跌致死但能開口灌下即可活八仙歌訣此方八仙傳授千金世上難尋止疼止痛如神接骨續筋立應不問外感為最那管內損伶仃八厘一服保安寧須臾便得活命 吳興錢青掄單方摘要刊本 按此方神驗好善之家擇黃道天月德日及天醫神在日淨室修合磁瓶收貯不洩氣臨急施送脩用功德不小

救自刎法自刎之人斷食顙者可治斷氣顙者難治若食顙氣顙俱斷更難治急將頭扶住乘其氣未絶顙未冷用絲線縫合攄方書用桃花散降香末松香末搽治奈一時難得迅速之際延醫不及急將活雞一二隻扯下熱雞皮冷則無用將線縫刀口週圍纏護用軟絹帛并棉花扎之外將女人舊布裹脚週圍再纏四五轉勿使泄氣其中自然合一令刎者仰卧以高枕枕腦後使頭鬱而不直刀口不開冬夏避風衣被蓋暖若氣從口鼻冲出方用白米一合入人參一

錢姜三片同煎粥湯飲之接補元氣再延名醫調治可也顧體集

桃花散用石灰二升大黄四兩切片同炒候灰桃紅色去大黄將灰細篩收貯瓶内過月餘去火氣然後可以應用顧外科名家好善君子預先備之以救萬一不時之急陰功不小又方半夏研細末冷水和丸如小豆大塞鼻中并燥末吹耳中心溫者一日猶可活感應篇後集

金刃刀斧傷切不可見水用圖書店滑石末摻之或用

刀刮青石末摻之或大黃炒黑篩末摻之或韮菜汁拌陳石灰陰乾摻之或人參三七髮灰摻之或用堅實細炭老松香等分研篩細末以韮菜汁拌勻敷或生半夏研細帶血敷上立止痛能止口生肌（單方摠要）

一方象皮古銅末降香末以細為妙各等分敷上神効（仇氏傳方）

七寶散刀傷收口俱好龍骨象皮血竭三七乳香沒藥降香末各等分為末溫酒下或摻上（仇氏傳方）

七厘散龍骨硼砂血竭酒洗兒茶天芝麻各五分共

細末每服七厘止痛如神

刀斧散三七一兩貝母五錢全為末敷上止血神効

一凡刀斧傷用石灰包裹定痛止血立効一用葵葉燒灰敷之一用琥珀屑敷之止血生肌瘡口即合一用蟹黃及足中肉敖納瘡中筋斷亦可續一用晚蚕蛾為末摻上白絹裹止血生肌隨手瘡合一大黃石灰等分為末敷一處即効或炒為粉紅色一用白芍藥一兩酒調二錢服或米飲調亦止痛刀傷以楊梅連核搗爛填傷處神効或用楊梅樹皮一用頭髮燒

灰敷之立愈 吳興楊氏便易良方

鉄物入肉内神驗方用栗子三十枚每人嚼一枚不時敷上敷完三十個之後即出此方試過 仝上

金瘡出血石榴花半斤石灰一升搗和陰乾每用少許敷之立止 瀕湖集簡方

一用韮菜汁和風化石灰晒乾每用少許敷之効 仝上

一用白芍藥一两燒黄為末或酒或米飲下二錢漸加之仍以末敷瘡上即止甚効 廣利方

一用雲母粉敷之極效 事林廣記

一用車前草擣敷神效千金方

金瘡血出不止用生麪乾敷之五七日即愈又用白蠟研細末以帛裹定一三日即愈一用多年陳絮燒灰敷之勿見風一用苧葉降香二味合末敷患處立愈一用黄丹飛過同枯礬為末乾摻一括青石粉塗上亦愈用象牙挫粉敷更好凡金瘡方以麻皮燒灰敷之此係軍中必帶方楊氏便易良方

一方用松香生半夏等分為末敷上痛即止王采臣傳方

金瘡破腸出用乾人屎為抹腸即入又方用小麥五升

水九升煮取四升綿濾去渣取汁待極冷令病人卧席上含汁噀之腸漸入噀其背並勿令病人知及多人傍人語腸不入也乃擡席四角輕摇使腸自入十日中但略食美物慎勿驚動即殺人劉涓子鬼遺方

金瘡急用自己小便淋患處口必渴切不可飲水但食肥腻之物解渴而已若食薄粥則血沸而出必死單方集驗

一方五月五日將老鼠同石灰搗收敷金瘡神效李時珍方

金瘡出血龍骨煅二錢白礬半生半枯一兩五棓子乳香没藥各三錢無名異一兩各為末乾摻不作膿不怕風立時止血住痛生肌如神 錢氏經驗方

一用五棓子降真香等分炒末敷之皮肉自痊 懷德堂録

一用葱白連根葉煨熟搗爛敷之冷即易而愈

拔出箭頭花蕊石形如硫黃有白斑點者火煅七次研末敷四圍箭頭自出

箭鏃入肉難拔者用新巴豆仁略熬與蜣螂仝研塗之立刺痛定微痒忍之待極痒不可忍便撼拔動之取

出速以生肌膏敷之即痊亦治瘡腫昔夏侯鄲在潤州得此方後至洪州旅舍主人妻病背瘡呻吟不已鄲用此方試之即痛止經驗方

一方用寒食飴點之瘡痒可鉗出集異記云邢曹進河朔健將也為飛矢中目拔矢而鏃留于中鉗之不動痛困俟死一日一僧乞食肖所夢者叩之僧云但以寒食飴點之如法用之清涼頓減痛楚至夜瘡痒用力一鑷而出旬日而愈

金刃不出入骨脈中者半夏白斂等分為末酒服方寸

七日三服至二十日自出李筌太白經

一以薔薇根末擦之服鼠撲十日即穿皮出也外臺秘要

一用瞿麥末酒服方寸匕日三服自出千金方

金瘡接指凡指斷及刀斧傷用真降香蘇木末敷之外以蠶繭包縛數日如故懾生方

金瘡悶絕不省人事者用琥珀研粉童便調服一錢三服愈鬼遺方

金瘡犯色血出不止者取所交婦人中衣帶三寸燒末水服肘后方

毒箭傷人用藍青搗飲并敷之如無藍以青布漬汁飲

或以麻仁數升杵汁服最良肘后方

金瘡斷筋用楓香末敷之甚妙危氏得效方

中藥箭毒心下堅或腹脹口乾發熱妄語蘆根煮汁服

千金方

一方雄黃末敷之沸汁出愈外臺秘要

一方巴豆去皮不去油馬牙硝等分研丸冷水服一

彈丸廣利方

一方凡中毒箭以犀角刺瘡中立愈北户録

一方猝中毒箭者藕汁飲多多益善 本艸從新

姚僧坦集驗方云蠻箭有三種交廣夷人用焦銅作箭鏃嶺北諸處以蛇毒螫物汁著筒中漬箭鏃此二種纔傷皮肉便洪膿作脹沸爛而死若中之急飲糞汁并塗之最妙又一種用射罔煎塗箭鏃亦宜此方

中惡卒暴怪異門

尸疰凡遇屍喪玩古廟入無人所居之室及造天地鬼神壇場歸來暴絕面赤無語者名曰尸疰亦曰鬼疰即中祟之謂也宜移病人東首使主人焚香北面禮

拜之更行火醋熏鼻法則可復甦否則七竅流血而死用醋一升炭火一盆不住以醋沃之令患人鼻受醋氣則甦

尸厥由入廟弔喪問病而得者用附子七錢重者泡熟去皮臍為末分二服每服酒三盞煎一盞如無附子生姜汁半盞酒一盞仝煎百沸連灌二服即醒

人忽卒死用雄雞冠塗面上乾則再上仍吹入鼻中并以灰營死人一週時 魏夫人內傳

無故倏死者生半夏為末塞鼻中

中惡鬼擊客忤等一切卒死用菖蒲生搗絞汁灌鼻中并口中即活

鬼擊卒死烏雞冠血滴口中令嚥仍破此雞搨心下冷乃棄之道邊 附后方

鬼擊諸病其狀如刀割胸脇腹內切痛不可抑按或吐血鼻血下血一名鬼排以醇酒吹兩鼻神良 附后方

一方身青作痛者金銀花一兩水煎服 怪症奇方

中惡不醒令人尿其面上即甦此扁鵲法也

中祟諸症或暮夜登廁或出郊外驀然倒地厥冷拳屈

口鼻出清血須臾不救似乎尸厥但腹不鳴心腹熱耳勿移動令人圍繞燒火打鼓或燒安息香麝香蘇合香候醒乃移動用犀角二錢麝香硃砂各八分為末水調服即效

一方燒尸場上土擂細泡湯灌之即活肘后方

一方雄黃礬石硃砂附子藜蘆丹皮巴豆各一兩蜈蚣一條八味為末蜜丸如小豆大每服五七丸冷水送下此藥神効須齋戒沐浴淨室澄心修合尤妙名八毒赤丹又名殺鬼杖子名醫類案

鬼擊卒死用雄黄牛黄各一錢硃砂三分研細和匀以一錢燒于床下一錢温酒灌之 類編

一用久污溺衣燒灰每服二錢沸湯下男用女衣女用男衣 趙原陽濟急方

鬼箭打鉄屑細净二两胡桃净肉一斤桃仁八兩仝入磁器内加好酒四斤隔湯煮以糯米置上熟為度每日不拘時随量煖服盖被發汗服時痛稍甚服完漸愈勿以服藥時痛中止或用麵炒山梔桃頭七個作餅貼次日作七丸投入火中燒响即愈 單方全集

神箭狗骨燒灰三錢山枝七個飛麵糟各一兩醋調敷
不可鍼刺 經驗單方
中惡凡感臭穢瘴毒暴絶者名曰中惡不治殺人行火
醋熏鼻法則可復甦 成方切用
一說取葱心黄刺入鼻孔中男左女右入七八寸鼻
目血出即愈或用葱刺入耳中五寸以鼻中血出即
活也如無血出不治 仝上
女人病邪女人與邪交通獨言獨笑悲思恍惚者雄黄
一兩松脂二兩溶化以虎爪攪之丸如彈子大夜燒

籠中令女坐上被盖露頭在外不過三劑自斷仍以雄黄人參防風五味子等分為末每旦井水服方寸匕附后方

跌撲傷損急救門

跌打損傷神效方九世還魂草鹿含草落得打草麻皮頭上部倍加土鱉各等分下部加苧根内傷加白頭蚯蚓五味為君隨便再加紅花蘇木等藥酒水煎服汗發而愈有一泥工沈姓者屋上跌下服此三日而愈懐德堂筆記

腦破骨折蜜和葱白搗勻厚敷立効 秘方集驗

觔骨折傷急取雄雞一隻刺血量患人酒量冲服痛立止 赤水玄珠

跌打骨斷用金櫻子根去皮煎酒熱服渣敷患處立愈 顧濟堂刊施

接骨不知痛用鳳仙花根酒磨服半寸最多一寸然後揉托而上則不知痛但多服傷人以一寸為極 秘方集驗

墜車落馬觔骨痛不止玄胡索末酒服二錢日進二次即愈 仝上

墜樓墜馬治從高墜下痛不可忍用真麻油一酒杯調水酒一壺暖盖出汗睡醒觔骨自合痛亦自止或用螃蠏殼瓦上露一夜取下以新瓦火上焙乾研細末凡人跌壞從高墜下及被打傷以好酒送下一二錢任意飲醉以被盖睡醒即好　便易良方

打撲傷損用白蠟一兩藤黄三錢入麻油溶化塗傷處立愈此方止痛止血及湯火傷亦妙

治跌打損傷遍身寸骨寸傷不能轉側吼氣者皆可治要取鬧市處久撒尿潭內瓦片去其垢炭火上燒

紅用上好米醋內煆過九次為細末每服三錢好酒隨量送下劉天于方

跌傷神方用生姜二兩打碎火酒四兩釜內仝煎攪勻敷之立愈

打傷神方用破蒲扇去藤燒灰飯丸雄黃為衣菉豆大每服三丸蘇木煎湯冲好酒送下

跌打皮破肉傷用鹽藏楊梅和核搗如泥做成餅子以竹筒收之如遇破傷研末敷之如神屢驗魯班方

又方白鳳仙花晒乾二分炒黑研末酒服至重者用

三分即能安全其血自散一用馬欄草搗爛生酒調服一用旱蓮草搗爛生酒調服或用山梔炒黑為末飛麪調塗 便易良方

瘀血凝注治打撲有痕傷瘀血凝注者用半夏為末調敷傷處一宿不見痕効瘀血流注或紫或黑或傷面眼上紫黑者用大黃為末以姜汁調敷一夜一次上藥一宿黑者紫二宿紫者白矣 便易良方

接骨秘方用大蝦蟆生搗如泥縛定其骨自合或搗生蟹極爛用熱酒傾入連飲數碗即以蟹渣敷患處半

日間骨內瑟瑟有聲自合如無生蠏乾蟹燒灰酒服亦可 一人折傷一足用菉豆粉新銚炒紫色井水調厚敷紙上貼外用杉木紮定其效如神跌折手足急搗葱白焙熱和砂糖封裹損處又用頭二蚕砂四兩炒黃枯礬二兩四錢為末醋調敷之絹包縛定換三四次即愈

接骨七厘散用朝天寶即人家屋上瓦將軍前小瓶也愈久愈妙必要取其朝天之得精華者研末漢銅半兩錢挫末各等分共研至無聲收貯臨時用七厘甜

瓜子三分嚼爛好無灰酒送下盡量極醉蓋暖出汗避風凶者不過五服其骨即接真神方也　便易良方

咬去舌尖生肌長肉摻藥或玉莖爛去俱可長全用黑鉛五錢化開即投水銀二錢五分用力研不見星入寒水石三錢五分真輕粉二錢五分上好硼砂一錢共為細末聽用凡遇此等症先以川椒葱艾煎湯洗淨患處摻上藥如舌尖咬去先用乳香沒藥煎湯含口內止痛後上摻藥以鳳凰衣袋護藥不使津流也鳳凰衣即初出小雞蛋殼上衣　仝上

耳鼻傷落綴法用人髮入陽城礶以盐泥固濟煅過為末乘急以所傷耳鼻蘸藥安綴故處以軟絹縛定效勿令動自生合 經驗方

多年損傷不愈者用冬瓜子末溫酒調服甚妙 千金方

破傷風牙關緊急南星防風等分為末每服三錢童便下二服即止或用手足十指甲剪下香油炒研為末熱酒調服即愈或用病人耳中膜并爪甲上刮末唾調敷瘡上立效破傷浮腫者用蟬殼為末葱涎調敷破處即時取出惡水立効或蟬蛻三錢好酒下或用

魚膠一錢溶化封之又用酒服一錢或用路行人糞下土調敷之　便易良方

玉真散南星防風白芷天麻羌活白附子等分研末敷患處如打傷欲死心頭微溫者熱酒童便灌下二錢立可回生破傷風牙關緊閉腰背反張甚則咬牙縮舌以童便調服三錢立愈　秘方集驗

湯火傷灼急救門

湯火傷灼最忌浸冷水中防火毒攻心並勿服寒冷之藥但用好酒洗拔其熱毒或服玄妙飲川連花粉玄

参各二錢陳皮桔梗山梔仁各一錢五分水煎服如藥不便服童便以護其心使火不內攻隨取大黃末桐油調敷即垂危者皆保無恙醫方俱載

一用猪毛煅存性研末加入輕粉硼砂各少許麻油調敷絕無疤痕秘方集驗

一用景德鎮磁器打碎埋灶內炭火鋪上一夜取出去火毒為末入黃丹少許敷之立愈活幼口議

一方劉寄奴搗末先以糯米漿掃上後乃擦末並不痛亦無痕凡湯火傷先以鹽擦之護內不壞後乃擦

藥為妙本事方

一方蓖麻仁蛤粉等分研膏湯傷以油調火灼以水調塗之古今録驗

一方銀硃研細末菜油調敷二次即愈多能鄙事

一方舊葫蘆瓢燒存性敷之効瀕湖集簡方

一方生牡蠣為末陳菜油調敷甚妙濟急良方

一方大豆煮汁飲之易好無斑子母秘録

一方生石膏研細蜜水調敷任青芝驗方

一方白絲綿燈上燒灰研末塗如乾麻油調敷便易良方

咽喉危絕救急門

急喉風頃刻不通欲死者返魂草一根洗淨納入喉口待取惡涎出即瘥更以馬牙硝津嚥之即絕亦甦本名紫苑南人呼夜牽牛斗門方

一方鉄胡蜂一個焙乾氷片三錢仝研入喉內無論急慢喉風即愈其脚底有水泡宜挑破不復發楊氏傳方

一方用燈盞油甚者不過三四呷可通急鎖喉風

一方紅藍花絞汁取一盃服之以瘥為度如冬月無花以乾花浸絞汁煎服極驗廣利方

一方用燈心草紅花燒灰酒服一錢即消聖惠方

一方用新鮮牛膝根艾葉七片搗和人乳取汁灌鼻内須臾痰涎從口鼻出即愈無艾亦可普濟方

一方用紫蝴蝶根一錢黄芩生甘草各五分為末水調服立愈名奪命散醫方大成

一方燈心一錢黄栢一錢並燒存性白礬七分煆過氷片三分為末以二三分吹患處神效李瀕湖集簡方

一方蝸牛綿攪水浸含嚥立刻即通如口噤不開無從下藥用草烏豆牙皂等分為末入麝香少許擦牙

并搐鼻內牙關自開 普濟方

一方明礬五錢巴豆七枚去皮并油銀礶內火煆礬枯豆黑去豆將礬研末用少許吹喉流涎即愈 濟急良方

一方用胆礬一塊含口中其痰涎自壅出吐盡愈 單方全集

一方臘月初一取猪胆不拘大小五六枚用黃連青黛薄荷殭蚕白礬朴硝各五錢為末裝入胆內青帋包好將地掘一孔方深一尺以竹橫懸此胆于內以物蓋定候至立春日取出待風吹去胆皮青帋研末

蜜收痛吹少許神驗此萬金不傳之方鄧真人經驗方

急喉痺其聲如鼾如痰在喉中响者速宜人參齊救之用竹茹姜汁調下獨參湯亦可服早者得全也遲則十不救一赤水元珠

一方喉痺欲絕者不可針藥急以乾漆或漆器燒烟以筒吸之又喉痺牙關閉者用巴豆油紙作燈子點火吹滅以烟薰入鼻中即時口鼻流涎牙關開矣楊氏傳方

喉閉先兩日胸膈氣緊出氣緊促猝然喉痛手足厥冷

氣閉命在頃刻速用雞毛或鵝鴒蘸桐油喉間攪探吐痰立開或用山豆根啣汁嚥之亦開忌牛黃入口不救如無藥與有藥不進者急將兩臂以手勒數十次取油髮繩扎大梅指以針刺甲邊即少商穴血滴下其喉即開男左女右重者兩手齊針吳興錢青掄單方全集

謹按此方最驗憶乾隆乙亥余弟甫五歲忽患喉痺氣閉醫者盧姓如法以雞鴒蘸桐油吐痰矣乃悞聽人薦次日宋姓醫人忽投牛黃之劑遂爾咽喉作酣鼾聲响呵不止歷四日而亡鶺鴒之痛尚惻于今鈔

録及此見牛黄入口不救之言附筆梓此願與當世明醫者共儆之 韻亭隨筆

纏喉風熱結于中腫遶于外且麻且痒用牽牛鼻繩燒灰吹之甚效 李時珍方

咽中結塊不通飲食危困欲死用鍋底煤蜜和丸如芡子大用新汲水化一丸灌下甚者不過二丸名百靈丸 普濟方

甘桔湯治風痰上壅咽喉腫痛呑吐有礙用苦桔梗一兩炙甘草二兩每服三錢水一盞煎七分食後溫服

準繩

解毒雄黃丸治纏喉風及急喉痺卒然倒仆牙關緊急不省人事用雄黃研飛鬱金各一兩巴豆去皮出油十四枚各為細末醋煮麪糊為丸如菉豆大熱茶清下七丸吐出頑痰立甦未吐再服如至死者心頭猶熱灌藥不下即以刀尺鉄匙斡開口灌之下咽無不活一法用雄黃丸三粒醋磨化灌之其痰立出即瘥

準繩

備急如聖散治時氣纏喉風水穀不下牙關緊急不省

人事用雄黃細研藜蘆厚者去皮用仁白礬飛猪牙皂角去皮弦右等分為細末每用一荳大鼻內搐之立效準繩

諸血危症急救門

吐血不止凡吐出全是血而多者謂之吐血與痰中帶血者不同急用三四兩重大當歸一隻全用切細好陳黃酒一斤漫火煎至一滿碗頓于鍋中以溫為妙候將要吐尚未吐口中有血含住取藥酒連血嗽和嚥下服二劑決愈斷不復發每有醫家阻云吐血尚

要戒酒豈可服酒煎當歸殊不知酒煮當歸乃引血歸經之妙藥此方真百試百驗從無一悮如敢悮人誓同嚼舌 桐涇沈啓白秘方

一方蘆荻外皮燒存性勿令燒白入蛤粉少許研勻麥門冬湯服一二錢三服可救一人 聖惠方

一方因勞心所致者用蓮子心七個糯米二十一粒為末此臨安張上舍秘方也

一方就用吐出血塊炒黑為末每服三分麥冬湯調服蓋血不歸元則積而上逆以血導血歸元則止矣

吳球諸症辨疑

一方白薄紙五張燒灰酒服效不可言普濟方
一方乾姜為末童便調服一錢甚妙雲臺方
一方生地黄汁一升白膠二兩以磁罌盛入甑釜內蒸令膠消服之梅師方
一方吐血不止刮灶額上黑煤研細糯米湯服立止
鼻血吹之立效單方
一方用雞蛋一個打開和三七末一錢藕汁一小鍾再入酒半鍾隔湯頓熟食之不過兩三枚自愈集驗良方

一方咯血用新綿燒灰五分好酒送下仝上

一方咳血燒熟猪肺蘸薏米仁末食之楊氏傳方

一方荆芥連根洗净搗汁半盞服或用乾穗為末生地黄汁調服集驗良方

一方治酒色過度口鼻出血如湧泉用荆芥穗燒存性研細陳皮湯服二錢不過二服即愈仝上

一方白萊菔汁二碗梨汁二碗藕汁二碗人乳二碗紅棗汁二碗用砂鍋同大鰻魚五觔煎一炷香極爛先将魚骨挑出用陰陽瓦焙乾為末和入汁内為丸

其汁盛起隔水熬成膏丸藥桐子大每服三錢仝上

一方荷葉煎湯飲之甚良或白茅根煎湯飲之或藕節煎湯飲之仝上

一方治吐血不止當歸二錢川芎一錢五分水煎服立效仝上

一方治暴吐血真廣皮生粉草各五錢為末共和一處每服一錢五分燒酒調服立刻止血仝上

一方用鹿血一碗飲之不可坐速速行走四五里即愈仝上

吐血成斗命在須臾用貫仲五錢為末頭髮五錢燒灰存性側栢葉搗汁一碗將藥末入內大碗盛之重湯煮一炷香取出加童便一酒鍾黃酒少許徐徐服之　集驗良方

九竅出血因暴驚所致甚有四肢指岐皆出血以石榴花揉塞之取效無花葉亦可兼治鼻衄　海上方

一方南天竺草即瞿麥拇指大一把山梔仁三十粒生姜三片甘草半兩燈草一小把大棗五枚水煎服　聖濟總錄

一方刺薊搗汁和酒服如無鮮者用乾薊研末冷水服　簡要濟衆

一方人中白一團雞子大綿五兩燒研每服二錢溫水服　仝上

一方治虛勞血証血虛火旺消補兩難用人乳男用女胎女用男胎乳藕汁白酒頭漿白蜜童便各等分煎膏滴水不散為度每晨空心湯下半盞龍眼湯更好病深者多服全愈忌服寒凉藥不救　單方全集

一方茯神一觔打碎用牛乳數觔人乳數觔更妙在

銅器内慢煎隨煎隨擾俟稀稠以茯神收之晒乾磨細糯米湯和丸如梧子大每早白湯服二三十丸屢效此名獨乳延生丸陰隲文注証刻

一方牛乳十觔福圓十觔煎膏酒服大補血証虛損有回生之功經驗單方

一方吐血或痰中帶血用鹿啣草一觔鋪在席底下數日收起煮好酒三二斤吃還撈起鍋内炒起麻油酒陰研細末棗肉丸每服二錢晚好酒下仇氏傳方

一方吐血不止以桃梹燒灰存性空心酒下四五分

仝上

一方治吐血咯血嘔血等症四物湯加童便浸香附壹錢五分茜草根二錢五分忌鐵水煎二三服立愈 準繩

鼻血不止以冷浸紙貼顖上用熨斗熨之立止 董氏集效方

一方定州白磁細末吹少許入鼻口立止 經驗方

一方用津調白芨末塗鼻梁上仍以水服一錢立止 經驗方

一方煎金花連莖葉陰乾濃煎汁溫服立效 指南方

一方用紙醮真麻油入鼻取嚏即愈有人一夕衄血盈盆用此而愈 普濟方

一方用本衄血紙撚點眼内左衄點右右衄點左大驗 儒門事親

一方石榴花微炒研末吹入鼻中即止 濟急良方

一方茅花每服水一盞半煎七分不拘服溫服 活人心書

一方黄芪六錢赤茯苓白芍當歸生地阿膠各三錢食後黄芪湯調服二錢 準繩

一方治鼻血往来久不愈生地熟地地骨皮枸杞子

各等分為末每服二錢蜜湯調下即好仝上
舌上出血不止名曰舌衂用黃藥子一两青黛二錢五分為細末每服一錢開水下日二服又以黃檗不拘多少塗蜜以慢火炙焦研末每服二錢温米飲調下
一香參丸治心臟熱甚舌上出血用人參生蒲黃麥冬當歸各五錢生地一两炙甘草二錢各為細末蜜丸如小彈子大每服一丸温水化下一日三四服仝上
齒縫出血以紙維子蘸乾蟾酥少許于血出處按之立止仝上

一方治滿口齒血出用枸杞為末煎湯漱之然後吞下立止根亦好或用梧桐淚研末乾貼齒縫如血不止再貼或用明白礬煆二錢乳香五分麝香少許研細輕手擦良久鹽湯灌嗽 仝上

耳出血水用麝香少許人牙煆過存性出火毒各為細末用少許吹耳内即乾并治小兒痘瘡出現而聾者酒調一匙服之即出 仝上

尿血茅草根車前子湯調髮灰下效 赤水玄珠

男婦血淋酒瓶頭箬葉三五年者妙每用七個燒存性

入麝香少許陳米飲下日三服有人患此二服即愈 百一選方

淋痛或血糞或沙石脹痛用牛膝一两水煎服一婦患此十年服效 單方直指

一方用蜀葵花根洗剉煎五六沸服之如神 衛生寶鑑

一方治房室勞損小便尿血鹿角膠五錢沒藥另研油頭髮各三錢各為末用茅根汁打麵糊為丸如桐子大每服五十九鹽湯送下 準繩

一方治小便血淋疼痛大黃人参蛤粉黃蜀葵花焙

各等分為細末每服一錢用栢葉車前子下 仝上

一方治血淋若單单小便出血如尿用亂髮燒灰入麝香少許每服一錢米醋温湯調下 仝上

一方治小便下血用胡麻三升杵末以東流水二升浸一宿于平旦搗絞汁頓熱服或髮灰二錢醋湯服或車前草自然汁數合空心服或夏枯草燒灰存性為末米飲或冷水調下或用淡豆豉一撮煎湯服或刮竹青一大塊水煎服或苧麻根十枚水煮服 便易良方

一方黑豆一升炒黑研末熱酒淋之去渣飲神效 活

人心統

腸風下血壯實者宜用槐角子五錢黃連枳殼地榆貫衆各三錢水煎服昔潘大司馬患此孫文垣用此方治之一服即止因書其方于壁間遇有便血者治之無不立愈 經驗單方

一方虛盛皆宜用髮灰五錢雞冠花柏葉各一兩為末臥時酒服二錢來早以溫酒投之一服見效 普濟方

一方隨四時方向採側柏葉燒灰研末每日米飲下二錢 百一選方

一方黃芩炒黑四兩黑棗頭半斤煮爛去皮核和芩末為丸桐子大早晚共服四錢終劑即愈懷德堂自驗方

一方蜜炙蘿蔔任意食之或用霜後乾絲瓜燒存性為末空心酒服二錢或用三七研末白酒調服三錢三服即愈一用糯稻根洗淨煎湯代茶飲愈一用荸薺汁漿頭酒對分冲服三四次即愈一用陳紅茶石榴皮木耳各三錢姜皮一錢水煎叁碗當茶服即愈便易良方

一方用敗棕不拘多少燒灰存性為細末每服二錢

空心清米飲調下或好酒服或乾側栢略焙為末五錢桐子炭再燒為炭成末二錢棕櫚燒存性為末勿令化作白灰三錢名三灰散空心糯米飲調下 準繩

臟毒下血昔有一人患臟毒下血數年自分必死得一方只以乾柿燒灰飲服二錢遂愈又一通判病此十年服此方一服而愈 本草

一方腸紅下血用柿霜四兩扁栢葉二兩共為末每服五錢空心藕節湯下 便易良方

一方側栢葉炒黄川斷續酒浸鹿茸炙去毛醋煮附

子炮去皮臍童便製阿膠蛤粉炒成珠黄芪當歸酒浸炒各一两白礬枯一两各為末醋煮米糊丸如桐子大每服七十丸空心米飲下準繩

一方卷栢黄芪各等分為細末空心米飲調下仝上

痔瘡血出不止用地榆為細末每服二錢食前米飲調下或用血竭為末敷之仝上

一方用活鯽魚一個八两重者洗净鱗尾腸肚皆不去用棕皮二两洗净寸截先將棕一两鋪在尾礶子内次安魚上面却將棕一两蓋之即閉礶口黄泥封

固火畔炙乾量罐子開一地坑先安小磚一片後坐罐子四面用熟炭火六七斤燒煅候烟絶取罐子于淨地以瓦盆合定淨土擁勿令透氣經一宿出火毒開取藥細研每服一錢食前用米飲調下大治痔疾便血忌動風之物　仝上

大小便閉急救門

大便不通氣奔欲死者烏梅十個湯浸去核丸如棗大納入下部少時即通　本草從新

一方二便閉格用皂角燒研粥飲下三錢立通　集驗良方

一方大小便不通用推車客一個瓦焙焦去頭足研末空心酒送下即蜣螂虫也　便易良方

一方用莧菜子爲末五錢分二服新汲水下或以谷樹煎湯服即通　仝上

小便不通用帶根葱煎湯熏洗即愈或用蚯蚓屎朴硝等分和敷臍下即通或用梁上塵二指撮水服之或用猪胆一個連汁籠住陰頭一二時汁入自通一用籼米礱糠泡湯澄清服下即愈　便易良方

一方濕紙包盐燒過吹少許入尿孔中即愈　普濟方

一方腹脹欲死者用瓜蔞焙研每服二錢熱酒下頻服以利為度魏明州病此御醫用此治之神效聖惠方

一方葱白三斤剉炒帕盛二個更互熨之小腹氣透即通也許學士本事方

一方萵苣子搗貼臍中立通海上方

一方棕皮毛燒存性以水酒服二錢即通累試甚驗

一方用土狗下截焙研加車前草汁服即效土狗即螻蛄是也談野翁方

一方用田螺二枚鹽半匙生搗敷臍下一寸三分氣

海穴少刻即通昔熊彥曾患此疾異人授此方果愈
類編

一方小便不通脹至胸面手指用真琥珀一錢研極細葱湯調下立刻通利治轉胞幷治沙石諸淋便易良方

一方小便不通諸藥無效用金絲草一把用韮菜根頭煎湯洗小肚即下金絲草附于黃豆莽上者多無根無葉絲細如棕色近水灘諸樹上皆有仝上

老人尿閉用白蚯蚓茴香等分杵汁飲之即愈朱氏集驗方

小兒尿閉用延胡索苦楝子等分爲末每服五分或一

錢白湯滴油數點調下　錢仲陽小兒直訣

大便不通用麻子仁炒水仝研搗汁絞去渣以汁煮粥後或加蘇子更佳治產後失血便閉如神　便易良方

一方大便火閉用陳年醬瓜切一長條塞便門內即下比蜜煎尤妙　仝上

一方病後大便不通用松蘿茶葉三錢水白糖半鍾先煎滾入水碗半仝茶葉煎至一碗服之即下神效　仝上

一方用青葉汁和蜜糖送下即愈或用豬脂二兩水

一碗煮三沸飲汁立通或用麻油蜜二味滚熱老酒送下 仝上

諸物哽咽急救門

諸魚骨硬用鯉魚三十六鱗焙研凉水調服其刺自跳出神妙 筆峰雜興

一方取籬邊朽竹去泥煉蜜為丸芡子大綿裹含之其骨自消 百一選方

一方白芍藥細嚼嚥汁自下或用苧根瀊之立效或用威靈仙砂仁砂糖取井水煎服即效或用穀樹子

泡湯嚥下骨自消或以獨瓣大蒜塞鼻自出又以橄欖食之即下如無以橄欖核搗為末用長流水調服下或以魚網覆頸或煮汁飲及燒灰服乳香湯下便易良方

猪骨硬哽咽中取楮子晒乾為末白茯苓等分每服二錢乳香湯下經驗良方

一方用象牙磨水服立效或用桑虫蛀屑仝米醋調服或將猫弔起取口內涎服之即愈便易良方

雞骨哽咽用苧蔴根搗汁以匙挑灌之立效談野翁試效方

一方苧蔴根搗碎丸如龍眼大魚骨硬魚湯下雞骨哽雞湯下　醫方大成

一方蓖麻子仁研爛入百藥煎研丸彈子大井水化下半丸即下　乾坤生意

一方五倍子末摻入喉中即化下　海上方

諸獸骨哽象牙磨水嚥下即下名一字金方　永類鈐方

諸骨哽咽蓬砂一塊含化嚥汁即愈按夷堅志云鄱陽汪友良因悞吞一骨哽于咽中百計不下恍忽夢一朱衣人曰惟南蓬砂最妙取一塊含化嚥汁脫然而

失此軟堅之徵也
一方取地菘馬鞭草一握去根白梅肉一個白礬一錢搗作彈丸綿裹含嚥其骨自軟而下也　普濟方
一方白鳳仙子研水一大呷以竹筒灌入咽其物即軟不可着牙或為末吹之　乾坤生意
一方栗子肉薄皮燒存性研末吹末喉中即下甚效　仝上
一方取狗涎徐嚥滴骨上自下　濟急良方
一方五日午時韭畦中向東勿語取蚯蚓泥収之每

遇骨哽用少許擦喉外其骨自消名六一泥乾坤秘蘊

按張景岳云凡諸物哽于喉中或刺或骨必有鋒芒之逆所以刺而不下凡下而逆者反而上之則順矣故治此者當借飲食之勢涌而吐之使之上出則如拔刺之捷也若芒刺既深必欲推下非惟理勢不能必且延遲或食飲既消無可推送以致漸腫則為害非細矣

竹木哽咽用蓖麻子仁一兩凝水石二兩研勻每以一捻置舌根噙嚥自然不見也聖濟方

一方蓖麻油紅麯等分研細末沙糖丸皂子大綿裹含嚥痰出大妙仝上

一方取舊鉄斧去柄燒紅以酒淬之飲酒即消集玄方

桃李哽咽用狗骨煮湯摩頂上及喉即安子母秘錄

田螺哽喉將大鴨一隻以水灌之少時將鴨倒懸令吐涎與患人服之即化奇方類編

稻芒粘喉不得出者用箭頭草嚼嚥自下乾坤秘蘊

一方取鴨涎調白飴糖頻食之自下濟急方

鉄針刺喉取上好真慈石棗核大鑚孔線串吞拽之立

虫篋中方

一方以螻蛄杵汁滴上三五度即出 千金方

悞吞鉄針多食羊脂血久則自出 肘后方

一方以黑砂糖和泥為丸吞下泥裹針自出 奇方類編

一方螻蛄去身吞其頭數枚勿令本人知自下 聖惠方

積德堂方昔一女子悞吞針入腹諸醫不能治一人教令煮蚕豆同韭菜食之針自大便仝出

悞吞銅錢多食胡桃自化出也胡桃與銅錢共食即成粉可證或多食荸薺亦消 李樓方

一方羊脛骨燒灰以煮粥食神效 談野翁方

一方煉蜂蜜二升飲之立出矣 葛氏方

一方頂帶長韮菜煮熟食之即從大便中裹出不拘金銀鐵石並效 濟急良方

一方用桑柴灰細研米飲下二錢或用菉豆粉冷水調下三錢或生菇菇取呷或濃煎艾湯飲或多服飴糖自出 便易良方

吞金方用羊脛骨燒焦研末三錢米飲下從大便出神效

悮吞鐵釘用活磁石一錢朴硝二錢並研為末再取熬熟油加蜜調藥末服之即從大便裏出 景岳全書

一方多食猪脂令飽自然裹出 普濟方

一方治悮吞銅錢及鈎線用鵞毛一錢燒灰磁石皂子大煅象牙一錢燒存性為末每服五分新汲水下 醫方妙選

一方金銀銅錢等物不化者濃煎縮砂湯飲之 得效方

悮吞珠錢硬哽在喉者銅弩牙燒赤納水中冷飲汁立愈 聖惠方

魚骨入腹刺痛不得出者吳茱萸水煮一盞溫服其骨必軟出未出再服食療本草

悞吞棗核取頭垢為丸茶下即愈便易良方

疔瘡惡毒急救門瘟疔見瘟症門

疔瘡用艾蒿一擔燒灰淋汁取汁一二合和石灰如糊先以針刺瘡至痛乃點藥三徧其毒自拔出玉山韓光以此治人甚驗貞觀初衢州徐使君訪得此方予用治三十餘人皆神驗忌油膩生冷粘滑陳臭等物千金方

一方取户邊蜘蛛杵爛先挑四畔血出根稍露敷之乾即易一日夜根拔出大有神效 仝上

一方疔赤根者馬牙齒搗末臘脂和敷根即出也燒灰亦可 仝上

一方蒼耳草梗中虫一條白梅肉三四分仝搗如泥貼之立愈 劉松石經驗方

一方端午日採豨薟草為末每服五錢酒調下汗出即愈極有效驗 集簡方

一方王不留行子為末蟾酥丸黍米大每服一丸酒

下汗出即愈 仝上

一方馬兜鈴根搗爛用蜘蛛網裹敷少時根即出甚妙 附后方

一方用家園菊花汁一碗服下即愈無花取根葉搗汁亦可有此方諸方可廢 集驗良方

一方用新鮮蒲公英白汁週圍點之不計次數即消又搗蒲公英汁和酒煎服即愈又方用癩蝦蟆肝一個貼上不過一伏時即可痊愈 仝上

一方用雞冠真福州荔枝三個蜒蚰三條再用灶上

鍋蓋下面木屑刮下二錢仝研勻貼患處如乾再換貼一二次即愈 便易良方

一用桐油煎滾將銀簪滴一點在疔上其疔不痛弗生畏忌或以馬齒莧用頭上油泥拌勻貼患處或以天喬麥根燒過存性為末菜油調敷或用皂角子仁作末敷之五日愈或用雄雞溏糞塗用桂圓肉控孔蓋上二次愈 仝上

一方紅銀硃蜒蚰白甘菊人中白苧根內白心雄黃藤黃大黃共搗敷上即退或用白梅肉荔枝肉仝搗

成膏捻作餅子依瘡大小安上其根即出或用霜梅醎在瓶内取蜒蚰螺螄五六十枚入瓶内過幾日取用将梅扯開皮肉用津搽瘡上或用鯽魚一尾鮮山藥一段白砂糖一兩共搗爛可散毒仝上

鼻疔取花盆中青螺二三個搥爛入鹽塗上即愈仝上

嘴上疔一片紅腫不知疔在何處将黄白菊花數枝少和清水搗爛取汁一碗飲之立消仝上

托盤疔在人手心用細葉半枝蓮搗汁冲酒服渣敷患處仝上

唇上疔蜒蚰一條銀硃二分鳳支肉三錢共搗爛作三次敷上立刻見效仝上

水疔瘡其瘡手足一時生出小瘡四圍紅赤中心一點漆烏堅硬如石疼痛難禁用食鹽一錢陳壁土一錢雄黃三分共細研末津唾調勻點上其疔自消仝上

魚臍疔瘡口頭深黑破之黃水出四畔浮漿用蛇殼燒存性細研雞子清調敷又用絲瓜葉連鬚葱韭菜仝入石鉢内搗爛如泥以酒和服渣貼腋下如病在左手貼左腋下在右手貼右腋下在左足貼左胯在右

足貼右胯如在中貼心臍並用帛包住候伺下紅絲處皆白則可為安如有潮熱亦用此法却令人抱住恐其潮熱顛倒倒則難救仝上

蟹壳疔用石蟹數十隻搗爛敷上不日即愈此方累驗過仝上

老鼠疔以芝麻擦三四次扯去即好仝上

爛頭疔白菊花根一把白梅二個蜒蚰大者二條共搗爛加透明雄黃仝敷如乾再另敷易一二遍無不愈者屢驗方

紮馬疔切不可食肉生白酒煎豨薟草紫花地丁車前草服之秘方集驗

刀鐮疔切忌刺其狀濶狹如韮菜長一寸左側肉黑如燒烙用益母草葉敷之再用明礬末三錢葱白七根搗爛分作七塊每塊熱酒一盃送下以衣被蓋之如無汗再服葱白湯一盃少頃汗出從容減去衣服其病若脫忌風寒房事蒜椒辛辣油膩生冷等物單方集驗

腫毒疔已危者二服即愈用土蜂房一具蛇退一條黃泥固濟燒存性為末每空心好酒服一錢少刻大痛

痛止其瘡已化為烏有第見黃水潘霞山秘錄

繭唇疔用猪腦騷焙為末和糯米團子刺患處圍上仇氏方

蛇頭疔用活水蛇透脱皮胃圍上立效止痛一日全愈仇氏方

各種疔毒用人齒火煅指甲尾焙等分少許飯丸針破患上薄皮放藥蓋蜒蚰少許再以田螺去殼取水頻滴勿令乾候腫消或疔根未出再摻前藥一次仝上

一方用多年露天或土中銹鐵釘火煅醋淬刮下銹

衣研細銀簪挑破毒處一孔納銹末于内仍将皮盖少頃黑水流盡中有白絲如細線慢〻抽盡此疔根也盡出愈仝上

疔走黃用白芨白蘞各一两生熟白礬八錢津液調塗若為丸硃砂為衣酒下三錢妙仝上

疔瘡圍藥用烏桕樹葉生紫蘇葉人中白雞子清調敷仝上

一方蝸牛銀硃氷片共搗敷或用南瓜蒂燒存性為末菜油調塗露頂愈腐爛處即以此末摻之又或用

蟬脫一味為末蜜水調下半碗飲之及其末津調敷
瘡上敷瘡口自潰仝上
疔瘡簡驗方真銀硃一錢福建荔枝肉一枚真麻油少
許爛溏雞屎少許仝放磁碗先将荔枝以竹箸搗爛
忌用鉄器隨入銀硃後加麻油雞屎調勻即敷患處
毒甚者中留一孔極忌猪肉諸葷及麻油芝麻并戒
着麻衣或麻布抹手面并入麻田行走初起時飲菜
油一鍾即無性命之憂
吳興錢青掄刻經驗單方云癰疽宜灸疔毒宜針明

疔易治暗疔難療生于口耳目鼻者易見生于身體四肢者隐而難防及至發作悞認傷寒半日不治毒必走黄入心人即昏憒若早知覺急用針或磁鋒刺入二三分擠去惡血當摻立馬回疔丹恐丹一時難覔可用蝸牛連殻敷之或内服梅花點舌丹或蟾酥丸一二服俱用菊根汁和熱酒下出汗即愈每見人畏痛怕針不知一染疔毒皮肉即彊雖針亦不痛

對口疽用活鯽魚一尾搗爛取汁去渣五倍子三錢焙乾研末葱汁調敷留頭即消或用雄猪腦陳醋内一

炷香放温填瘡内覺凉倏覺不凉取出另換數次瘡毒盡出即愈又或取蚓一條瘡口上急用當歸一錢三分甘草一錢七分净金銀花五錢用好酒二碗煎至一碗服之決不傷命仇氏傳方

骨疽用露蜂房蛇蜕亂髮洗净各燒灰存性酒下一錢六分

弔脚腸癰取斤半重甲魚刮血冲熱酒一大杯服下盖被睡一覺發汗即不紊脚矣服三個鱉血即驗楊廷方傳

一方山甲炒白芷貝母殭蚕大黄一大劑水煎服膿

血自小便出忌煎炒 仝上

發背諸毒凡患發背對口一切無名腫毒先看所患腫處用生麵水調作圈依腫處大小圍之圈高寸餘實貼皮上勿令滲泄圈外密施布巾數重防火氣侵餘地患者安身勿動圈内鋪極好黄蠟片屑上以炭火炙至黄蠟溶化毒淺者皮上覺痛不受炙便止毒深者全不知熱痛再入蠟隨化隨添至圈滿仍前熱火炙至蠟沸初覺癢後覺痛久之不可忍乃去火以少水微澆滚蠟上俟冷揭去蠟近皮者俱帶青黑色此

毒隨蠟拔去淺者一二灸便内消深者三四灸亦膿生腫消立愈灸畢外貼生肌玉紅膏此百治百驗也 秘方集驗

發背用敗龜版一味去肋塗黄蠟灸透内服外敷 仇氏方

去腐肉生新肉用無人見處自死竹蘸菜油燒滴下油用磁碟盛之搽上即生肉又巴豆炒烟起焦黑研末摻上能去舊生新 仇氏方

瘡口生皮用高山石上青苔衣取下焙乾研末摻上瘡口即生皮 秘方

面上毒瘡初起急尋負兇蜒蚰三條用醬少許共搗塗紙上留一孔出氣 神效方

耳邊發腫連太陽腮齒皆痛用大黃一两姜黄三錢氷片為末醋蜜調匀貼患處 仝上

發背癰疽一切瘡口不歛鱉甲燒存性研摻甚妙加氷片少許與参末八寶仝功毒腐盡不日収口 仝上

落頭疽用壁上蠨子五六隻腐皮包好吃完即愈 仝上

肺癰疔瘡發背等症用蕺草一名魚胆草水煮不住口服之兼治魚口毒又治疔瘡腫毒搗末敷之痛一二

時不可去草痛後一二日卽愈背瘡搗汁塗之留孔以洩熱毒冷即易之痔瘡煎湯薰洗仍以草挹痔更好

腸癰傴僂痛不能伸一道人叫飲純黃犬血二碗和白酒服一人飲至四碗次日下膿血盡而愈仝上

懸癰生陰囊後穀道前治之不早變為漏患難治有生舌底下者亦名懸癰方用大粉草一斤每根劈作四片用泉二碗輪流蘸炙以水盡為度切片河水十碗熬至一碗空心服盡立好孫真人方

癰疽最難治外間未露真形内已先潰大穴古人云外大如豆内大如拳外大如拳内大如盤洵不誣也凡人一見背有瘡口發現者不可小視急用蒜切片二分厚貼在瘡口上用艾火燒之痛者燒之不痛不痛者燒之知痛而止蓋一經灸之則毒隨火化又何疑焉五日之内猶當内散五日之外必當動刀内散方金銀花四兩蒲公英二兩生甘草二兩當歸二兩天花粉五錢水煎服一劑即消二劑全愈石室秘錄

一方凡癰疽發背初起用白礬一兩金銀花三兩水

煎服一劑即消仝上

發背惡毒用大黃一两舂碎以水酒各一碗煎六七滚去渣将煎過水内加五倍子末五錢龍骨末五錢煎濃成膏塗腫處立消又谷樹滓取来新羊毛筆一枝口咬開筆頭蘸滓水只順圈從根圍上留頂可将油紙蓋其頂即消 秘方

癰疽腫毒用黄蜀葵花将塩摻收石器中容封經年不壞每用敷之自消 便易良方

一方癰疽無頭者用蚕繭壳燒灰酒服一枚出一頭

二枚岀二頭仝上
一方癰疽不合破蒲席燒灰臘月猪脂和納患孔中仝上
一方惡毒初生用苧根葱頭生姜炒小粉赤豆仝搗碎頓熱敷上冷即換或用紫荆花皮為末酒調箍住自然收小不脹大或用雄雞冠血滴疽上血盡再換不過五六雞痛止毒散數日愈或毒初起用母猪蹄一隻通草六分綿裹煮熟食之立退凡諸惡毒用牛皮膠二兩酒二升仝煎候牛皮膠溶化放冷令病者

徐徐飲盡如未結成即消已結成即易潰收功如未效再服必效不問疽發何處及婦人乳癰等初發用金銀花藤搥碎不犯鉄器大甘草節一两各生用水二碗漫火煎一碗入無灰酒一大碗再煎十數沸去渣分三次温服另取藥一把搗爛入酒調和敷瘡四面中留一口泄毒仝上

一發背初起即取槐子一大撮揀净鉄器炒茶褐色好酒一碗滚過濾去槐子乘熱酒服一汗即愈如仍未退再揀槐子如前法即成膿無害或用葱數根生

蜜半盞仝搗極爛以雞毛掃汁于其上一乾又掃神效無比或以生半夏滑石等分好酒調敷或用山藥搗爛拌黑砂糖入硃砂少許時時塗之或用醋磨濃墨塗四圍中以猪胆汁塗之乾又上一夜即消一治發背以梧桐葉炙焦研細末蜜調敷之乾再換凡發背腫毒未成用活蝦蟆一個繫放瘡上半日蝦蟆必昏憒置水中救其命再易一個如前法其物必踉蹌再易一個其毒散矣再凡癰疽發背不問老小初發腫便以紙一片水浸濕搭腫上視其上一點先乾者

即是正頂先以大筆管一個安于正頂上恰用大馬蜞一條俗名馬蝗安于筆管中頻以冷水灌之馬蜞當吮其正穴若吮着正穴蜞必死血出毒散為效如毒大蜞小須用三四條蜞死用水救活其瘡自愈累試奇效乃去毒之一法也若出血不止以藕節研爛塗之自止　單方彙要

對口良方脛骨斷頭落有心熱有氣不絕用人牙不拘多少焙枯研末拈搽瘡上即愈　仇氏神方

一方用熱雞血頻塗之即散或以抱雞母屙出熱糞

塗之神妙不可言即愈或用青布一方剪出一眼取
常用乆遠尿壺打碎刮取人中白垢做膏藥貼上效
仝上

對口仙方此名天疽十有九死用鯽魚一尾去鱗腸搗
爛入頭垢五六錢再搗極勻加蜂蜜半盞攪勻從外
圍入裡面留一孔出毒氣二次全消即時止痛如已
成形有頭將出膿或已出膿者內服千金托裏散則
可收口矣 便易良方

內托千金散治腦瘡發背諸惡瘡毒已成不消服之易

潰白芍黄芪川芎當歸防風桔梗人參肉桂白芷甘草金銀花天花粉各一錢痛甚加乳香没藥右水二碗煎八分臨服入酒二小杯食遠服

發背腫毒骨疽不論已成未成一服即消用槐花一两炒焦胡桃十個不油者連殼火中煨熟去殼将二味共于一處搗爛如泥酒和醋服能飲者一醉即毒散矣

護心散凡癰疽諸瘡惡毒三日内宜連進十服方免變症使毒氣外出稍遲内攻難治五日後亦宜服

真菉豆粉一兩乳香五錢燈草灰同調和以生甘草濃煎一錢調下

一方凡患癰疽癆毒未成者用土中大蝦蟆一個取水澆淋數次即用其所淋之汁煎金銀花一兩雄黃一錢冲入好酒服之可免蜈蚣聞氣來侵并消毒靈方酌用

定疼散用山藥一兩白糖霜大黄各四錢打爛敷上即止疼或搭手發背破爛只用糖霜山藥打爛塞入毒内不臭爛肉去新肉生初時日换二次三日後一日

换一次煎甘草湯或猪蹄湯洗用軟鵞毛數根蘸之洗去再數待肉長滿方止 單方全集

兩腮毒用大黃末姜汁和匀週圍塗轉止露一頭不日愈

搭手用全蝎核桃仝研細酒冲服一二次即消 單方集驗

手發背用生甘草炙甘草各五錢角刺二錢半土炒土貝五錢半夏錢半甲片二錢半炒黑知母二錢五分加姜葱水酒煎二劑即愈 天蓋樓方

脚發背初起用塩滷甘草煎湯洗即消 仝上

癰用白菓不拘多少將菜油浸越陳越妙痔者每日空心服四五枚服至四五日其痔即愈仝上

一方用老絲瓜木瓜各一兩為末砂糖調服或用梨子一隻去核入蜜一錢川貝一錢飯上蒸熟即愈或用薏苡仁為末煮猪肺白蘸食之便易良方

腸癰肚癰神效方右脚拘急是腸癰左脚拘急是肚癰取數十年舊油印竹燈檯俗名善福者一隻燒半過不用水息悶合成灰研為細末陳三白酒冲服二錢或三錢即愈便易良方

豌豆斑瘡比歲有病天行發斑瘡頭面及身須臾周匝狀如火燒瘡皆戴白漿隨結隨生不治數日必死瘥後瘢痕彌歲方滅此惡毒之氣所為相傳晉元帝時此病自西北流起名虜瘡以蜜煎升麻時時服之并以水煮升麻綿沾拭之 葛洪肘后方

一方雲薹葉煎湯洗之甚妙 王燾外臺秘要

一方用馬肉煮清汁洗

金絲瘡形如繩線巨細不一上下至心即死治法于瘡頭截住刺之出血後嚼浮萍塗之愈 肘后方

天行斑瘡須臾徧身皆帶白漿此惡毒氣也唐高宗永徽四年此瘡自西域東流于海内但煮葵菜葉以蒜虀啖之則止 仝上

浸淫惡瘡有水多發于心不早治周身則殺人熬秫米令黃黑杵末敷之 仝上

天火熱瘡初起似痱漸如水泡似火燒瘡赤色不治即殺人蕓薹葉擣汁調大黃末芒硝生鐵衣等分塗之 千金方

凡中熱毒眼花頭運口乾背熱四肢麻木有紅暈在背

後者槐花子一大把鉄鍋炒褐色好酒一盞服之乘熱飲一汗即愈如未退再服極效彭辛菴用此方三十年無不見效　保壽堂方

中風死危急救門

中風昏倒先須順氣然後治風用竹瀝姜汁調蘓合香丸如口噤抉開灌之如抉不開急用牙皂生半夏細辛細末吹鼻有嚏可治無嚏則死最要分別閉與脱二證明白如牙關緊閉兩手握固即是閉証用蘇合丸或三生飲之類開之或口開心絶手撒脾絶眼合

肝絶遺尿腎絶即是脱證宜大劑理中湯灌之及灸臍下亦可救十中之一若悮服蘇合香丸牛黄至寶之類即不可救也氣虚者右手足不仁用六君子加鈎藤姜汁血虚者左手足不仁四物湯加鈎藤竹瀝姜汁氣血皆虚左右手皆不仁八珍湯加鈎藤竹瀝姜汁有中府中藏中血脉中府者其病在表多着四肢故肢節廢中藏者其病在裏多滯九竅故唇緩二便閉其應在脾口不能言其應在心耳聾應心鼻塞應肺目瞀應肝中血脉者半表半裏外無六經之證

內無二便之閉但見口眼喎斜半身作痛不可過汗恐虛其衛不可過下恐損其營惟當養血順氣爲主 吳興錢青掄刊方

中風口噤荊芥爲末酒服二錢立愈賈似道云此方前後用之甚驗 曾公談錄

中風牙關不開取烏梅肉揩擦牙齦涎出即開 本草從新

中風墮地不語純是氣虛氣虛之人未有不生痰者痰重卒中卒倒有由來也然則徒治其痰而不補其氣即所以殺之也宜以人參一兩天南星三錢生半夏

三錢生附子一個名為三生飲急灌之 石室秘錄

治急中風口閉涎上欲垂死者一服即瘥用江子二粒去皮膜白礬如拇指大一塊將二味在新瓦上煅令江子焦赤為度煉蜜丸如芡實大每服一丸用綿裹放患人口中近喉處良久吐痰乃愈 準繩

中風身溫為中風身冷為中氣有痰為中風無痰為中氣倘鄉村昏夜一時無藥救用急取頂心髮一撮毒掣之以省人事為度 便易良方

薛氏蒸臍法凡中風寒溼于內神脉脫絕藥不能下者

急炒鹽艾附子熱熨臍腹以散寒回陽又以口氣補接其氣又以附子作餅熱貼臍間一時神氣稍甦急煎人参黄芪附子大劑或有生者

中風外治法唐柳太后病風不能言脉沉欲脱群醫束手無計許允宗曰是餌湯藥無及矣急以黄芪防風煮湯數十斛置床下氣騰騰如霧薰蒸之是夕語更藥之而起 醫貫

盧州王守道風噤不能語王克明令熾炭燒地上灑以藥置病者于其上須臾小蘇 仝上

趙養葵曰中風者身溫且多痰涎中氣者身涼而無痰涎所謂痰者水也其源出乎腎張仲景曰氣虛痰泛以腎氣丸補而逐之初時痰涎壅盛湯藥不食少用稀涎類使喉咽疏通能進湯藥液即止若必欲盡攻其痰頃刻立斃矣

稀涎散用生皂角四挺去黑皮明礬一兩共為末每用五七分溫水調灌涎出乃醒毋使大吐恐過劑傷人

蘇合香丸沉香丁香木香白檀麝香硃砂安息香香附米蘇合油訶子肉乳香沒藥白朮土炒犀角蓽撥片

腦共為細末入腦麝安息香蘇合油仝拌勻蜜丸重一錢黃蠟包皮此藥耑治男婦中風中氣口眼歪斜不省人事或卒暴心痛鬼魅惡氣小兒驚癇大人狐狸等症

按李東垣謂中風者非外來風邪乃本氣自病也當以氣虛為主急以三生飲一兩加人參一兩煎服乃甦劉河間謂非外中于風良由將息失宜心火暴甚腎水不能制之亦因喜怒思悲恐五志有所過極而卒中也故專以陰虛補腎為主而立地黃飲子方高

鼓峰謂真中風者其人形體實壯人有之江南少見類中風者乃大虛也類中風者其風自內出景岳故以匪風名之

河間地黄飲子方熟地巴戟去心肉蓯蓉酒浸山茱萸附子五味子石斛茯苓石菖蒲大遠志官桂麥冬去心各等分每服五錢入薄荷姜棗煎服

中風口眼喎斜用豨薟草不拘多少煎湯露過入芽糖三四兩空心頓服即愈集驗良方

一方用棉花子炒黑爲末乳香末三錢紅糖二兩飯

後黃酒送下即愈或用鱔魚血仝射香少許調匀右喎塗左左喎塗右正即洗去又或以生鹿肉仝川椒搗貼即正 便易良方

中風失音急搗梨汁頻服朱丹溪云梨者利也流利下行之謂也

中暑痧脹急救門

熱死切忌冷水近身用草繩一條盤臍以三四轉溺尿臍中不然以水澆臍亦可醒後亦不可飲冷水 集驗良方

中暑不醒急搗大蒜和地漿溫服 吳氏本草

一方用新胡麻一升微炒令黑攤冷為末新汲水調下三錢名救生散經驗後方

乾霍亂上下不得吐利出冷汗氣將絕俗名攪腸痧用鹽一大匙炒紅用童便一碗二味溫和服之少頃吐下即好易安方

絞腸痧陽痧腸痛手足暖陰痧腹痛手足冷身有紅點好明礬三錢滚水調服陽痧以針刺其手指近爪甲處分半許出血即愈仍先自兩肩捋其惡血令聚指頭陰痧以燈草油點火燒身上如額顱兩臂胸口之

處易安方

火龍丹治心痛腹痛絞腸痧用雄黃焰硝等分淨為極細末每用些少點小眼角立效 同上

一方絞腸痧痛極欲死用馬糞研汁飲之立愈 經驗方

一方用路旁草鞋去兩頭洗淨煎湯一碗滚服即愈 事海文山

一方痛不可忍用鹽一兩熱湯調灌鹽氣到腸痛即止

一方用新鮮紅燭勒取桕油食之數枝即愈神效 便

易良方

一方用大蒜搗爛塗足心即愈千金方

一方藿香葉陳皮各五錢水煎服垂死立生又鍋底煤五分灶額上煤錢五分滾湯攪千下服立效單方摘要

凡夏天一切腹痛吐瀉切忌服生姜米湯悞者急死直至飢甚吐瀉二三時辰方可食粥伏暑吐瀉用絲瓜葉一片白梅一枚并仁仝研爛水調服立效夏暑百病俱用六一散紫金錠更妙萬無一失仝上

乾霍亂若邪在上焦則吐在下則瀉在中焦則吐瀉此

溼霍亂易治又有心腹絞痛不得吐瀉者爲乾霍亂絞腹痧其死甚速即用新汲井水與百沸河水各半碗相合服之名陰陽水湯不可熱仝上

一方用透明生白礬爲末冷熱水各半鍾調服二錢立止出外者宜帶白礬或在舟中或逢深夜可當仙丹也

一方用菉豆粉鹽水調服或痧漲不動先用通薑汁一點點入眼堂男左女右即醒次用針挑之方便易良

一方食鹽一兩生薑五錢切片同炒色變以水一碗

煎服不宜熱服愈後不可即吃飲食再刺十指甲下分半出血甚良 蒼生司命

一方蘆花煮汁飲之立安或蘿蔔搗汁一碗再入姜汁蜂蜜好醋各五匙調服立止 便易良方

霍亂轉筋垂危欲死腹有煖氣者以鹽填臍中炙鹽上七壯即甦 救急方

一方轉筋攣急者松節一兩剉如米大乳香一錢銀石器漫火炒焦存一二分性出火毒研末每服一二錢熱木瓜酒調下一應筋病皆效 孫用和秘寶方

一方心腹脹滿未得吐下卮子二七枚燒研熱酒服之立愈千金方

一方用敗小梳一枚燒灰酒服永瘥同上

一遇痧脹急將病人頭頂紅髮採去腿彎指頭皆刺出血將口抉開用白鴨脚花三枚泡湯灌下即活開花時連根葉風乾收貯救急良方

一方腹痛難忍取白扁豆葉三十張搗汁冲井水服立驗青浦徐氏鈔本

心痛虫積急救門

心痛即胃脘痛須分新久之殊若明知身受寒氣口食寒物而病于初得時當用温散温利之藥若病稍久而成鬱鬱則蒸熱熱久必生火若行温劑寧無助火添病乎此病雖日數多不食不死若痛方止便喫物與病安之後又縱恣口腹病再發難治 錢青掄

治心痛神方硃砂木香各三錢黄占一兩化開爲丸如菉豆大每服七丸燒酒下極痛時方服效 衛生備要

一方木香沉香大黄甘草官桂各一錢共爲末黄酒調下又五靈脂廣木香等分研末黄酒調下即止又

香附生八分真鬱金一錢煎服又陳香圓一兩細辛一兩水煎五分服之又良姜一兩浸一宿香附一兩醋浸一宿次日取土焙乾各成末各用小磁礶收好封固臨用各取五分滚水調服即止 易安方

急心痛牙關緊閉欲死者老葱白五根去皮鬚搗膏用匙送下咽喉中灌以麻油四兩但得下咽即甦少頃虫積皆化黄水而下神效 瑞竹堂方

一用麻油一鍾煎滚入燒酒一小盃乗痛急飲 秘方集驗

心氣痛生芝麻半升候痛時不必看隨手取来不拘多

少放銅鍋內炒黑為末好酒送下一服除根仝上

心口痛良姜酒洗七次焙研香附子醋浸七次焙研病因寒得姜末二錢附末一錢因怒得姜末一錢附末二錢寒怒兼有各錢半米飲加姜汁幷塩服效韓飛霞醫通

胃脘疼痛雄黃末一錢烏梅肉三錢為丸如豆大俟胃口痛時須酒服輕者二丸重者三丸集驗方

九種心疼當太歲上取新生桃枝去兩頭水二升煎取一升頓而服之

一方用晚蚕沙為末滚湯泡過濾清汁服之不拘時候耑治男婦心氣痛不可忍者 準繩

一方用生地黄隨人所食多少擣絞取汁溲麵作飥飥或冷淘食良久當利出虫長一尺許頭似守宮後不復患矣此方治一切心痛不問新久並宜服之 海上方

蚘絞心痛經云虫貫心則殺人欲驗之大痛不可忍或吐青黄緑水涎沫或吐虫出發有休止此是蚘心痛也 準繩

虫痛之症得食則痛減無食則痛增以酸梅湯一盞試之飲下而痛即止者乃虫痛飲下而痛增重或少減者非虫痛也方用楝樹根一兩黄連三錢烏梅肉三錢吳茱萸三錢炒梔子三錢白薇一兩白朮二兩茯苓三錢甘草三錢鱉甲三錢各為末蜜為丸如小米大乘饑服下則虫口必上向而索食藥入虫口則亂動跳躍故轉覺痛甚不可即與之水蓋虫得水即生也人何不堅忍一刻之痛使終身之痛除哉張公曰凡人腹中不論生何虫只消食榧子每日十個不

消三日盡化為水矣或用生甘草二兩榧子二兩米飯為丸白滚水饑時送下五錢五日虫皆從便出二方不費錢而又去病之捷也石室秘録

朱丹溪曰虫本濕熱所生臟腑虚則侵蝕千金方云勞則生熱熱則生虫心虫曰蛔脾虫曰寸白腎虫如刀截絲縷肝虫如爛杏肺虫如蚕皆能殺人惟肺虫為急居肺葉内食人肺系故成瘵疾咯血聲嘶藥所不到治之為難諸虫逢椒則伏遇苦則安見酸則静也

蚘咬攻心面青口中沫出欲死者取扁竹十觔剉以水一石煎至一斗去滓煎如飴糖隔宿勿食空心服一升虫即下也仍常煮汁作飯食海上歌云心頭急痛最難當我有仙人海上方扁蓄醋煎通口嚥管教時刻便安康

一方腹痛三四日不止者將舊船上乾油灰煅存性研碎泡湯下即愈濟急良方

一方以米仁根一斤切煮水服之虫死盡出

一方用火腿肉煎湯用真川椒在內撈去上面浮油

乘熱飲之立愈累驗　筆苑仙丹

一方蛔攻心疼難忍用葱一大把煎湯哈下可止仇氏傳方

一方烏梅三個川椒十四粒煎服愈　單方全集

一方雄黃為末烏梅肉搗丸酒送下效　仝上

心痛諸方滌虫七個研末用陰陽瓦煆存性臨痛好酒下

又方雌黃一錢研末燒酒服又方黑棗去核每棗嵌入胡椒七粒火煨熟為主早辰清米湯下三枚即止如不止吃五六枚又方以舊筆頭燒灰酒調服又方杏

仁大棗各七枚烏梅一個男用酒醋各半熱送下女用酒服又方木香梹榔玄胡索為末空心白滚湯下三錢又方雌黃百草霜各三錢為末酒調服肇珠萃

一方水紅花子酒炒三錢姜湯酒下亦可黑丑為末亦可又方玄胡索用七錢甘草三錢酒拌晒七次略焙研細每服二錢或酒或姜湯下仇氏傳方

一方心腹痛取白洋糖八錢煎百滚湯一碗飲之即止如受冷痛加生姜一片火痛加陳細茶二錢仝煎易安鈔存方

一方治九種心疼用火漆一味燒灰存性每服一錢送下即愈 神方考

一方治胃脘心疼用良姜三錢牡蠣五錢火煅五靈脂四錢廣木香三錢共為細末每日早晚俱服二錢用上白糖霜一鍾泡滚水一碗送下永不再發 刊本方

卒暴癥塊堅如石卒痛欲死者取蒴藋根一小把洗净細擘以酒二升浸三宿溫服五合至一升日三服若欲連用于熱灰中溫出藥味服之此方無毒已愈數十人矣 古今錄驗

一方取商陸根擣汁或蒸之以布藉腹上安藥勿覆冷即易日夜勿息千金方

一方牛膝一觔酒一斗浸之密封于灰火中勿令味出每服五合至一升隨量飲肘后方

鱉瘕疼痛鮮蝦作羹食之即愈楊拱病鱉瘕隱隱見皮内痛不可忍外醫洪氏曰可以鮮蝦作羹食之以〻痛止明年又作再治如前而愈遂斷根仝上

一方用白馬溺飲之立愈昔有人共奴俱患鱉瘕奴前死遂破其腹得白鱉仍活有人乘白馬来看鱉白

馬偶尿隨落鱉上即縮頭尋以馬尿灌之即化為水其主曰吾將愈矣即服之果愈　續搜神記

腹内龜病歌曰人間龜病不堪言肚裏生成硬似磚自死殭蚕白馬尿不過時刻軟如綿　普濟方

臟腑癥結以一人按其小腹揉之不急不緩不輕不重以中和為主揉之數千下乃止覺腹中滾熱乃自家心中注定病口微微嗽津送下丹田氣海七次乃止

石室秘録

慈惠小編卷上終

慈惠小編卷中

吳興　錢守和
吳　煥
同里　金萬全
費守美　仝叅訂

婦人難産急救門

孕婦胎上衝心急以水葍蔔煎湯服之即下如無實將根葉藤代之神驗方

孕婦胎漏下血用葱白一把濃煎汁飲之甚效上甯或

下血過甚手足厥冷欲死用生艾汁二盞牛皮膠白蜜各二兩煎一盞半稍食服之無生艾時濃煎乾艾亦可 同上

孕婦腰痛如折者紋銀一兩水三升煮二升服之 仝上

兒在腹中哭用多年空屋下鼠穴中土一塊令孕婦噙之即住或用川黃連煎汁令母啜之

婦人難產川芎歸身各一兩龜板一枚髮灰三錢水煎服如人行五里再一服生胎死胎俱下 婦人良方

一方參芪各一兩當歸五錢川芎二錢冬月加桂以

温之最妙 高鼓峰方

一方取哺坊中雞蛋壳數枚帶血痕者尤妙燒存性每服二錢白滾湯下如胞衣不下及胎死腹中加鉄華粉一小匙神效是方試驗頗多無不應手 濟急良方

一方經日不生者雲母粉五錢温酒調服入口即產不順者即順萬不失一 積德堂方

一方敗筆頭一枚燒灰生藕汁一盞調下立產若產婦虛弱素有冷疾者温汁服之 聖勝方

催生神方桃仁一枚分開寫日月字合食之胎卽下

一方芥菜子廿一粒順研好酒調温服可免催生黃葵子七十粒炒研為末好酒送下甚效　神方經驗

一方用蓮花瓣寫人字吞之或以本年歷日黃紙殼面扯來不要人見用火燒化將紙灰調酒一杯與婦人飲之即時產下　便易良方

催生厭勝法寫書本州太守姓名于淨紙上燈下焚化水中服之產　仝上

催生歌一烏三巴七胡椒細研搗爛取成膏酒醋調和臍上貼便令子母見分胞用烏梅巴豆　仝上

一方用草蓖子研敷産婦手足心産後速拭去或以兩手各執一枚立下仝上

一方難産催生白細碗研碎末一錢酒吞下立刻催生名白礫砂仝上

一方産婦難産日久氣力乏不能生兼惡露盡出乾不能産者用赤小豆二升以水九升煮熟取汁入溫過明阿膠一兩仝煎少時每一服五合未效再服不過三四服即産此方用之極效驗或用好墨一寸磋末水服立下仝上

横生逆産以手中指取釜下墨交畫兒足心即順方 全

一方用梁上塵酒服方寸匕或用兎絲子末車前子末酒調下 便易良方

一方覔大母虱一枚摘破以血塗兒足心即順 祝由科

胎死不下鬼臼不拘多少黄色者去毛為細末不用篩籮只撚之如粉為度每服一錢無灰酒一盞煎八分魚口服立下如神名一字神散此方累效救人歳萬數也 婦人良方

一方胎死腹中及胞衣不下刺羊血熱飲一小盞極

效又以新汲水濃磨金墨服之墨水裹兒出效又搗蟹爪煎湯服立效或用鹿角三錢燒灰存性醋調服即出又丹砂一兩水煮研細酒服立下又或以其夫尿二鍾煮沸飲之 便易良方

一方黄葵花焙研末熟湯調服二錢無花用子半合研末酒淘去滓用紅花酒下 産室

一方螻蛄一枚水煮灌下咽即出也 延年方

驗胎死法胎死腹中産母舌必青黑爲驗如面舌青黑口中沫出子母皆死故面以候母舌以候子 濟陰

千金神造湯治子死腹中并雙胎一死一生服之使死者出生者安用蟹爪一升甘草二尺東流水一斗以葦薪煮至升濾去滓入真阿膠三兩令烊頓服或分二服若人困不能服者灌入即活神驗方也用蟹爪以去其死胎阿膠以安其生胎甘草和藥性其理甚奥也

横生逆產用蛇蜕炒焦為末向東服一刀圭即順千金方

一方炒鹽少許點兒足心即順

一法使老成穩婆以手徐推令上復以中指探兒肩

弗使臍帶絆繫待兒身轉正頭對產門即順此緣產母用力太過努力一迸致使兒身不正或先露手臂或先露臂足頭項即令寬心仰卧輕，送入弗令多出蓋出少則易入未久則易入如出多而久則手足青硬子必受傷難以扶入又切不可聽凶惡穩婆用刀割斷若手足一斷則必擾亂腹中兩命俱傷矣大生要旨

逆生須臾不救母子俱亡用蛇殼一條蟬殼十四個頭髮一握拉燒為灰分為二服温酒調并進二服仰

卧雲時或以小緺針于兒足心刺三七刺用塩少許擦刺處即時順生母子俱全

胞衣不下灶下土一寸醋調納臍中續服甘草湯三四盞即下　産室

一方令産婦啣自己髮尾於口中令嘔胞衣即下

又或用最初洗兒湯服之即下勿令産婦知　便易良方

一方取其夫之褌倒轉將褌腰向下褌脚向上束于腹上其胞自下又用鐵秤錘燒紅泡酒吃即下名霹靂酒　仝上

一方猪脂一两水一盞煎五七沸服之當下聖惠方

一方鹿角屑三分為末姜湯調下煞治胎死腹中產乳方

盤腸產，時子腸先出產後不收者是也以生半夏末㖔鼻中則上婦人良方

一方子腸不收者磨刀水少潤腸煎好磁石一杯温服即收上也扁鵲方

一方用萆麻子四十九粒研爛塗產母頭頂腸收上即洗去大生要旨

一方大紙撚麻油潤之點燈吹熄以烟薰産婦鼻中腸即上 仝上

一法因産母平日氣虛及臨産時用力努掙周身氣血下注以致腸隨兒下一次如此二次路熟如此治法以潔淨不破損漆器盛之待兒胞衣俱下産母仰卧自已吸氣上升穩婆以香油塗手徐徐送入 仝上

産後腸出樗枝取皮焙乾一握水五升連根葱五莖漢椒一撮同煎至三升去滓傾盆内乘熱薰洗冷則再熱一服可住五次洗後睡少時忌鹽鮓醬麪動風發

物及用心勞力等事年深者亦治之婦人良方

一方老鴉蒜即飯頭草一把以水三碗煎一盌半去滓薰洗患處或先以塩湯洗淨五靈脂燒烟薰之即上 危氏得效方

一方用油五升煉熟盆盛令婦坐盆中飯久再研皂角末少許吹入鼻中作嚏立上 便易良方

子腸不收以好醋半盞新汲水七升噀產婦面即上

一方枳壳煎湯浸之良久即入也 袖珍方

一方全蝎炒研末嗆水鼻中嗃之立效 衛生寶鑑

產後餘血結瘕俗名兒枕痛用陳年蟹壳燒灰酒調下
便易良方

產後舌出用丹砂傅之暗擲盆盌作墮地聲驚之即自
收集簡方

產後發喘乃血入肺竅危急症也用人參三錢蘇木六
錢水二盞煎一盞調參末服神效聖惠方
一方胡桃人參各一錢水一碗煎半碗服肘后方

產後閉塞大小便不通用桃花葵子滑石檳榔等分為
末每空心葱白湯服二錢即利集效方

一方產後汗多大便閉難以用藥惟麻仁粥最穩不惟產後可服凡老人諸虛風秘皆得力也用大麻子仁末紫蘇子各二合洗淨研細再以水濾去汁一盞分二次煮粥啜之 本事方

一方尿閉不通者陳皮去白一兩為末每空心溫酒服二錢即通此張不愚方也 婦人良方

產後中風角弓反張口噤瘛瘲或心眼倒築用荊芥穗子微炒為末每服三錢豆淋汁酒調服或童便服之口噤則挑齒灌之斷噤則灌入鼻中其效如神奇它

名愈風散大抵產後太眩則汗出而腠理疎則易於中風也李時珍曰此方諸書盛稱其妙姚僧坦集效方以酒服名如聖散藥下可立待應效陳氏方名舉卿古拜散蕭存敬方用古老錢煎湯服名一捻金王貺指迷方加當歸等分水煎服許叔微本事方云此藥委有奇驗神聖之功一婦人產後睡久及醒則昏昏如醉不省人事醫用此藥及交加散云服後當睡必以左手搔頭用之果然昝殷產室方云此症多因怒氣傷肝或憂氣內鬱或坐草受風而成急宜服此

藥也戴原禮證治要訣名獨行散賈如道悅生隨鈔名再生丹

交加散用生地黃五兩研汁生姜五兩取汁交互相浸一夕次日各炒黃浸汁乾乃焙為末每酒服一方寸匕　濟生方

小產用絲綿一兩燒灰存性熱酒冲服月内陸續吃完永不再墮　便易良方

小產血暈救死神方人參一錢肉桂五分童便一碗共煎冲服立醒　姚致菴　親驗方

婦人半產血下如泉不止者急用益母草將童便一碗老酒一碗煎至一碗鍋底煤和之服下即止如不止再煎再服止

產後血暈血暈是實症逐瘀為主此因惡露不行心下滿急神昏口噤不省人事切勿放倒急用生化湯當歸五錢川芎一錢桃仁七粒炮姜甘艸各五分水煎服此方去瘀生新扶陽益血行中有補化中有生名曰生化洵不誣也初產後服一二劑可免諸患

一法用韮菜一把切碎放有嘴瓶內以熱醋一大盞

灌入紫口以瓶嘴向鼻逺逺薰之二方諸書皆載
一方按紙三十張燒灰清酒半升和服頓定冬月用
煖酒服之立驗已斃經一日者去板齒灌之亦活子
母秘録
一方用乾荷葉燒灰為細末酒服
一方產後血悶攻心欲死產難胞衣不下急搗慈菇
汁服一升本草從新
一方紅花一兩為末分作兩服酒二盞連服口噤斡
開灌之或入小便尤妙同前

一方接骨木破如筭子大一握水一升煎至半升服或小便頻數惡不止服之即瘥此木煮之三次其力一般乃起死妙方　產室方

產後血脫血脫是虛症補正為主此因平素虛弱臨產復用力勞傷去血過多以致昏暈不醒微虛者少頃即甦大虛者脫竭立死但察其面白口開自汗手足厥冷是血脫症也生死判於頃刻切勿放倒令一人挽住頭髮有力者大劑獨參湯最妙徐徐灌之即可救活而血脫補氣先賢之奥旨也若認作血暈而以

行血藥治之益速其驗
一方若氣血虛弱又感風邪急然昏暈不知人者當歸二錢川芎五分人参一錢荆芥八分炒黑炙草三分水煎好入陳酒数匙名清魂散
一方身冷面青心悶欲絶者刺新羊血一盞飲之最玅
一方用生艾半両生姜半両濃煎服或百草霜三錢為末酒調服
一法子方生下母即昏暈不省此時藥不及籌壁則

不救急用綢絹舊衣謹閉產户令知事婦女曲膝抵住勿使下面洩氣俟其稍轉方用醫治俱見婦人良方

婦人血崩草血竭嫩者蒸熟以油鹽姜淹食之飲酒一二盞送下或陰乾為末姜酒調服一二錢一服即止此物生于磚縫井砌間少在地上也危亦林得效方

一方諸藥無效服此立上用甜杏仁上黃衣燒存性為末每服三錢空心熱酒服保壽堂方

一方貫衆五錢煎汁服之立止或用三七研末同淡白酒調一二錢三服可愈或加五分入四物湯中亦

可集簡方

一方用老絲瓜燒灰棕櫚燒灰塩酒服又或用廣膠二錢油盞火上燒枯漸燒漸滴作細塊滾水服

一方用荔枝肉一錢八分水煎空心服或用頭二蚕砂為末每服五錢熱酒調服或用陳槐花一兩百草霜五錢燒紅秤錘淬酒下

一方荊芥穗於麻油燈上燒焦為末每服二錢童便下此夏太君方也婦人良方

產後血崩蓮蓬殼五個香附二兩各燒存性為末每服

二錢米飲下日二服　婦女方

毒藥墮胎婦人服草藥墮胎腹痛者生白扁豆去皮為末米飲服方寸匕濃煎汁飲亦可丸服若胎氣已傷未墮者或口噤手强自汗頭低似乎中風九死一生醫多不識若作風治必死　聖濟總錄

產後赤白痢用葱白一握酒煎服產後欬逆煩亂乾柿水煮飲　本草從新

鬼胎方鬼胎者腹中高大宛似坐胎形容憔悴面目瘦黑骨乾毛枯此乃鬼胎也方用紅花半斤大黃五錢

雷丸三錢水煎服傾盆瀉出血塊如雞肝者數十觔而愈後用六君子湯調理元氣自復此等之病乃婦人淫心忽起有物以憑之纔生此症無論室女出嫁之人生此病者邪之所湊其氣必虛況又起淫心有不邪以覩邪者乎方中妙在用紅花為君又用至半觔則血行難止有躍躍自動之貌又加以大黄走而不守之味則雷丸蕩邪之物自然功成之速也石室秘録

中毒死絶急救門

中砒石毒黑鉛四兩磨水一盌灌之華陀危病方

一方多飲新汲水得吐利佳集簡方
一方欝金末二錢入蜜少許冷水調服事林廣記
一方楊梅樹皮煎湯二三碗服即愈王碩易簡方
一方取鴨血灌之立解或糞清亦妙洗寃録
一方用甘草湯菉荳湯夏枯草汁或雞子五六枚打碎和匀灌下總以吐盡毒為度醒後仍顛者以菉荳湯飲之毒盡自愈集驗良方
一方菉荳粉細篩四兩黄泥篩淨四兩生雞清九個共一處以浸豆水和服即解若有黑羊血再呑更妙

凡服砒人不可仰卧恐毒流四肢難治愈後烟酒姜椒煎炒須忌百日

一方速取梁上燕子窠用井水三四大碗放水桶内即將手大攪調之用夏布手巾如柞荳腐法篩去泥葉取所攪之水連灌二三碗自吐不吐再灌吐盡方醒

一方凡中砒霜乘死者急用上號潔白糖〔上淀〕花淡豆豉甘草等分研匀冷水灌下錢氏單方

一方凡中砒石如初飲砒莫妙用生甘草三两急煎

湯加羊血半碗和飲立吐而愈如飲之不吐不可執吐法而無變通速用大黃二兩生甘艸五錢白礬一兩當歸三兩水煎數碗飲之立時大瀉即愈若飲之不瀉此腸已斷矣又何救乎用之早未有不生者總之初服宜吐稍久已入臟宜瀉不可執法石室秘錄

中鹽滷毒先用活羊血灌下再用肥皂莢煎湯灌下吐出即愈或荳腐漿抹棹布水皆能令吐切不可用熱水集驗良方

中銀鏥毒用黃泥水調服二茶鍾即愈同前

中輕粉毒用出山黑鉛五觔打壺一把盛燒酒十觔納土茯苓十兩乳香二錢封固重湯煮一日夜埋土中出火毒每日早晚任性飲数盃再用瓦盆接小便自有粉出為驗服至筋骨不痛乃止 醫方摘要

一方急擣蘿蔔汁飲之

一方貫衆黄連各半兩水煎入氷片少許時又漱之 陸氏積德堂方

一方三年陳醬油化水頻漱之 集簡方

一方川椒去目每日清晨任意呑之 奇方類編

中煤炭毒一時運倒不省人事即以清水灌之唐瑶經驗方

中閉口椒毒吐白沫身冷欲死者地漿飲之即解金匱方

一方用大蒜煮熟食之仲景方

中蜀椒毒冬葵子煮汁或豉汁飲之千金方

一方用雞毛燒烟吸之即愈同前

中烏喙毒多飲新汲水得吐利佳集簡方

中烏頭毒不拘川烏草烏毒用多年陳壁土泡湯服或冷水調服亦效兼治中六畜肉毒通變要法

一方不拘附子烏頭天雄芫花等毒並用防風煎湯

服千金方

一方草烏天雄附子毒并食飴糖即解又中附子毒用黑豆黄豆濃煎飲

中金石藥并硫黄毒用黑錫煎湯服即解經驗方

中巴豆毒下痢不止黄連乾姜等分爲末水服方寸匙或煮大荳汁亦效肘后方

中丹藥毒用萱草根研汁服之事林廣記

中金銀毒葱白煮汁飲之或雞矢半觔水淋取汁服之日三同前

中硫黄毒令人背膊疼悶目暗漠漠胡梅肉焙一两砂糖半两漿水一大碗煎七分呷之聖濟總録

中鍾乳毒下利不止食猪肉則愈聖惠方

中苦杏仁毒用杏樹皮煎湯飲之雖迷亂死者亦可救洗冤録

中斑蝥毒玉簪根擣汁服之即解趙真人濟急方

中石藥毒胡荳半升擣研以水八合絞汁飲之即愈外臺秘要

一方如熱嗽向冷地卧五加皮二两水煮發時便服

效同前

一方白鴨屎為末水服二錢效百一方

一方生薺苨搗汁服之立瘥五石並效蘓頌圖經

中雄黃毒防己煎湯服之立解聖惠方

中蜈蚣毒舌脹出口是也雄鷄冠血浸舌并咽之青囊雜纂

中仙茅毒按張杲醫說云一人中仙茅毒舌脹出口漸大與肩齊口以小刀剺之隨破隨合剺之百數有血一點出曰可救矣煮大黃朴硝與服以藥摻之應時消縮此皆火盛性淫之人過服之害也大抵仙茅性

熱補三焦命門之藥也惟陽弱精寒稟賦素怯者宜之若體壯相火熾甚者服之反能動火弘治間東海張弼梅嶺仙茅詩有使君昨日纔持去今日人来乞墓銘之句皆不知服食之理惟藉葯縱慾以速其生者於仙茅何尤

中諸藥毒已死者只要心間温煖乃是熱物犯之用防風一味擂冷水灌之積善堂方

一方甘草薺苨湯能解百藥毒食巴豆毒泄不止者煎服川連一錢立解

一方用菉荳粉調水服甚妙衛生易簡方

服藥過劑煩悶欲死擣藍汁服數升愈肘后方

一方一切毒藥煩懣不止甘草三两水五升煮取二升去滓入黍米粉一两白蜜三两煮如薄粥食之外臺秘要

中鴆酒毒氣欲絕者葛粉三合水三盞調服若口噤無從下藥用蘆管向鼻中灌之亦可聖惠方

中鼠莽毒鏡草取自然汁清油各一盞和服即下毒三五次以肉粥補之不可遲張杲醫說

一方用金線重樓根磨水服即愈 集簡方

○中胡蔓野毒即斷腸草一葉入口百竅流血惟急取鳳凰胎即鷄卵抱未成雛者已成者不用研爛和麻油灌之吐出毒物乃生少遲不救 嶺南衛生方

○中野葛毒已死者抉開口灌鷄子三枚須臾吐出野葛乃甦 同前

●中蝦蟇毒小蝦蟇有毒食之令人小便秘澀臍下切痛有至死者以生豉一合投新汲水半碗浸濃汁頓飲之即愈 草亭客語

中鉤吻毒鉤吻葉與芹菜相似悞食之殺人惟以薺苨八兩水六升煮取三升每服五合日五服 玉函方

飲饌中毒未審何物卒急無藥只煎甘草薺苨湯入口便活 同前

一方生韭汁服數盞可觧 千金方

一方雄黃青黛等分為末每服二錢新汲水下 鄧筆峯方

悞飲毒物用硼砂四兩甘草四兩真香油一觔瓶內浸之遇有毒者服油一小盞久浸尤佳 瑞竹堂經驗方

中河豚毒一時倉卒無藥急以清麻油多灌取吐出毒

物即愈　千金方

一方五倍子白礬各等分水調服良　事林廣記

中六畜肉毒小荳一升燒研水服三方寸匕神效　千金方

一方吐血下血不止痿黄者胡荽子一升煮汁冷服半升日夜各一服即止　食療本草

一方白扁豆燒存性研細水服之良　事林廣記

一方鍋底煤一雞子大水服取吐　千金方

中牛馬肉毒取好土三升煮清一升服即愈　肘后方

一方甘草濃煎飲一二碗或酒煎服如口渴不可飲

水飲之即死千金方

一方用豉汁和人乳蛹服之效衛生易簡方

一方省頭草連根葉煎湯服垂死者即消唐瑤方

中猪肉毒取猪屎燒灰水服方寸匕外臺秘要

中自死肉毒以黄栢末水調服方寸匕肘后方

中犬肉毒心下堅或腹脹口乾發熱妄語蘆根煮湯服

兼解馬肉毒梅師方

一方杏仁搗爛水和服即解濟急方

中諸魚毒香蘇濃煎汁一碗飲之最良肘后方

一方東瓜汁飲之即解小品方

中鱓魚毒食蟹即解董炳經驗方

中食蟹毒若心下堅或腹痛口乾發熱妄語蘆根煮汁服千金方

一方生藕汁服之即解聖惠方

一方橘紅煎湯服或紫蘇子煮汁服亦妙金匱要略

一方丁香末姜湯下五分證治要證

一方乾蒜煮汁飲之甚良集驗方

中馬肝毒雄鼠屎三七粒和水研飲之同前

剌馬中毒破骨刺破欲死者以馬腹中粟屎搗傅以屎洗之大效絞汁飲之亦可 外臺秘要

中噉蛇牛毒牛噉蛇者毛髮向後其肉食之殺人但飲人乳一升即愈 金匱要言

一方用牛肚細切水一斗煮一升服取汗即瘥 見前

中諸鳥肉毒用生扁荳末冷水調服 事林廣記

中鷄子毒飲醋少許即解 同前

中菜毒脯毒凡野菜諸脯毒以頭垢棗核大含之嚥汁能起死人或白湯下亦可 小品方

中狼毒毒鹽汁飲之即解 千金方

中射罔毒大麻子汁飲之良 同前

一方猪血飲之即解 肘后方

中食雉毒吐下不止用生犀角末服方寸匕新汲水下即瘥 聖惠方

中蒙汗毒飲冷水即安 濟急方

中野芋毒土醬飲之即愈 經驗方

中萵菜毒惟生姜汁可解 名醫類案

中諸菜毒發狂吐下欲死用鷄矢燒末即服方寸匕 佐

氏方

中野菌毒防風煎汁飲之千金方

中土菌毒欲死者飲金汁一升即解肘后方

解一切菌毒因蛇虫毒氣薰蒸所致用芫花研新汲水服一錢以利為度危氏得效方

中藥箭毒心下堅或腹脹口乾發熱妄語蘆根煮汁服千金方

一方雄黄末傅之沸汁出愈外臺秘要

一方巴荳去皮不去油馬牙硝等分研丸冷水服一

彈丸 廣利方

按姚僧坦集驗方云藥箭有三種交廣夷人用焦銅作箭鏃嶺北諸處以蛇毒螫物汁著筒中漬箭鏃此二種纔傷皮肉便洪膿沸爛而死若中之即飲糞汁并塗之最妙又一種用射罔煎塗箭鏃亦宜此方

中桐油毒食乾柿即愈 普濟方

中燒酒毒菉荳粉盪皮服即解 外臺秘要

一方取鍋蓋上氣流水灌下半碗即解 奇方類編

一方中諸酒毒恐爛五臟茅根汁飲一升 千金方

卒中水毒初覺頭目微痛惡寒骨强急日輕暮劇手足逆冷三日則虫蝕下部六七日濃潰食至五臟殺人搗常思草絞汁服二升并以綿染導其下部或搗藍青汁敷頭身令匝常思草即蒲公英也見津臺路史

肘后方

一方用小蒜三升煮微熱若大熱即無力以浴身如身發赤斑紋者毋以他病治之也 同前

解一切毒石菖蒲白礬各等分為末新汲水下 事林廣記

一方生甘草五錢泡湯下一日三服即解 濟急良方

○蠱毒統載諸救門

中桃生蠱毒嶺南有桃生之害於飲食中行厭勝法魚肉能反生于人腹中而人以死則陰役其家初覺得胸腹痛次日刺人十日則生在腹中也凡胸膈痛即用升麻或胆礬吐之若膈下痛急以湯調鬱金末二錢服即瀉出惡物或用升麻鬱金並服之不吐則下李巽巖侍郎為雷州推官鞠獄得此方活人甚衆 范石湖文集

一方用野葛根并以升麻多煎頻飲之 直指方

中草蠱毒此術在西良之西嶺南人中此毒入咽欲死者用馬兜鈴苗一兩為末溫水調服一錢即消化蠱出神效聖惠方

一方大苣為末酒漬絞汁服半升直指方

中蝦蟇蠱及蝌蚪蠱心腹脹滿口乾思水不能食悶亂大喘用車轄脂半觔漸漸服之其蠱即出聖惠方

中金蠶蠱金蠶蠱始蜀中近及湖廣閩粵浸多有人舍去謂之嫁金蠶率以黃金釵罷錦緞置道中俾他得焉欝林守為吾言嘗見福清縣有訟遭金蠶毒者縣官

求治不得蹤或獻謀取兩刺蝟入捕必獲矣盖金蠶畏蝟、入其家金蠶則不敢動惟匿榻下磚罅果為兩蝟擒出之亦可驗也凡中毒者蝟皮燒灰水調服下毒物即愈　鐵圍山叢說

一方吮白礬味甘黑豆不腥者即是中蠱也石榴皮煎濃汁服即吐出活蠱無不愈者　摘玄方

蛇蝎蠱毒馬兜鈴一兩水煎服即出　纂要方

中諸蠱毒腹內堅痛面目青黃淋露骨立病變無常用爐中鐵精研末雞肝為丸梧子大食前酒下五十丸

不過十日愈肘后方

一方伏龍肝末一鷄子大水服取吐千金方

一方容取山荳根和水研服少許未定再服已噤殺者亦愈支太醫方

一方胡荽根擣汁半升和酒服立下神效必效方

一方用未鑽相思子十四粒杵碎爲末溫水半盞和服欲吐抑之勿吐少頃當大吐非常輕者但服七枚神效同前

一方生羊肝一具割開入雄黄麝香等分吞之濟生方

一方雖面青脈絶腹脹吐血者服之即活用蠶脫紙燒存性為末新汲水服一錢嶺南衛生方

一方牡丹皮搗末服一錢七日三服外臺秘要

一方晉礬建茶等分為末新汲水調下二錢吐瀉即效濟生方

一方胸膈痛脹毒在上焦宜吐之以熱水半盞投入胆礬末五分通口服少頃以鵞翎探吐毒物出盡自愈或服升麻湯探而吐之亦妙同後

一方腹臍痛脹為毒在下焦宜瀉之以欝金末二錢

米湯調下空腹取瀉惡物毒盡爲妙瀉後用四君子湯服二三劑條理忌口四君子湯方即參苓术草四味分兩照古法二方見景岳全書

一方土瓜根大如指長三寸切以酒半升浸一宿服當吐下即安外臺秘要

一方蘘荷根搗末飲服方寸匕立瘥小品方

一方下血如鷄肝晝夜不絕臟腑敗壞待死者以蘘荷葉置病人席下勿令病人知必自呼蠱主姓名也梅師方

一方凡中蠱毒或下血如鵝肝或吐血或心腹切痛如有物咬不即治食人五臟而死若真是蠱但令病人吐水沉者是浮者非也用敗鼓皮燒灰酒下方寸匕須臾自呼蠱主姓名 同前

一方敗鼓皮廣五寸長一尺薔薇根五寸如拇指大水一升酒三升煮二升服之當下蠱即愈 同前

一方取燕屎三合炒獨蒜十枚去皮和擣丸梧子大每服三丸當隨利而出 王海藏方

一方以猪肝一具蜜一升共煎分二十服或爲丸服

支太醫方

蠱毒説蠱毒中土少見之世傳廣粤深山之人於端午日以毒蛇蜈蚣蝦蟆三物同器盛之任其互相吞食俟一物服存者則以為蠱又謂之挑生凡欲害人家置其蠱於飲食中人中其毒必心腹疞痛如有蠱囓吐下皆如爛絮若不即治食人五臟而死亦有十餘日而死更有緩者待以歲月氣血羸憊食盡五臟而後死

一説嶺南人取毒蛇殺之以草覆之以水浸之數日

菌生取菌爲末酒調以毒人始亦無患再後飲酒則毒發而死其俗淫婦多自合北人日久情好又不肯遂人歸乃以毒物陰投飲食中北人歸則戒之曰子去幾時還若從其言則復以藥解之若過期不往則死矣名曰定年蠱北人至彼互預防之須備解毒丹之類隨身勿忘凡稍覺飲食之後四大不調宜即服解毒藥若不預識其機備有藥餌恐一時倉卒不救所謂有備無患重生者不可忽也（三說見）景岳全書

驗蠱毒法無論年代遠近但煮一鴨卵插銀釵于内併

含之約一食頃取視釵卵俱黑即是中蠱毒也類編

一法海南魚有石首蓋魚枕也取其石為器可盛飲食如遇蠱毒器必爆裂其效甚著閩人制作最精人但玩其色而鮮有識其用者

一法噀津在淨水中沉者是浮者非也

一法口含大荳中蠱者荳即脹而皮脱否則皮不脹脱　諸說皆見景岳全書

預防中蠱凡入有蠱之鄉所用飲食但以犀角攪試有毒者白沫竦起無沫即無毒也

蠱毒禁忌凡中蠱者但能記何物之中中毒須終身再不食此物犯之則毒作若用藥而愈自後飲食永不可吃冷吃冷則蠱毒復生竟不能救

反蠱及主法衛生云凡入蠱鄉見人家門限屋梁絶無灰塵潔淨者其家必蓄蠱當用心防之如不得已喫其飲食即潛于初下筯時收藏一片在手盡喫不妨少頃却將手藏之物潛埋于人行十字路下則蠱神反于本家作鬧蠱主必反來懇求或食時讓主先動筯或明問主人云莫有蠱麼以筯築桌而後食如是

則蠱皆不能為害此皆驗于蠱鄉云

番胃噎膈急救門

秘傳隔食仙方詩曰隔食番胃疾沉〻牡蠣枯礬值萬金引使沙糖調一服免君愁悶解憂心用枯礬少許牡蠣一兩火煅醋淬水飛細末沙糖調服五分甚者一錢立效

治番胃隔食方韮菜汁一鍾竹瀝一鍾白檀香末三錢童便一鍾白蘆蒲汁一鍾共一處[illegible]木香皮一兩共為細末三伏天之內將生姜線穿入濃糞中浸七日

取來清水洗淨切片晒乾炒黑色爲度加滑石一兩研末將滚水泡過澄清晒乾共爲細末每服一錢將前項各汁送下日進三服即治

治番胃方用人參木香藿香白芷檳榔枳殼青皮廣皮甘草尾松大腹皮加洋糖三錢水兩碗煎服名爲木香通氣散

雄黄二豆丸治噎食神效用大烏梅肉二十枚水洗硼砂雄黄各二錢乳香一錢百草霜黑荳菉荳各四十九粒爲末和梅打丸彈子大用一丸噙化待一炷香

時方行經絡用麵餅一個熱湯泡開喫之無碍為妙
仍有碍一二日後再一九三五日除根 赤水玄珠
噎膈第一次服皮硝兒茶礦灰各一撮麝香一分為末
燒酒調服第二次服沉香二錢草菓七錢砂仁木香
五靈脂各五錢豆蔻一兩兩頭尖一錢華澄茄二錢
白术二錢姜汁製為末好酒調服一錢第三次服華
澄茄三錢麻雀兒七枚煮熟點茄末食第四次服猪
牙皂角半觔棗子一觔煮熟去皂角服第五次服黑
荳一升黃栢黃連黃芩各一兩煮荳食有效 江西楊

大人傳見錢青掄刊本

一用阿魏一錢乾漆三錢為末五更姜片醮食立愈　趙玉田方

一用白水牛喉去兩頭節并筋膜節、取下米醋一碗炙至醋盡為末每用一錢米飲下愈　法天生意

一用甘蔗汁二碗姜汁一碗每服一碗日三服即不吐　醫宗必讀

噎膈初起老姜一觔童便浸七日洗淨為末一兩白朮土炒淨末一兩飯丸梧子大每晨空心服一錢米飲

下有效 懷德堂錄

噎隔反胃用沉香蘇子廣皮各二錢官桂一錢木香三分蘿匐子三錢俱為末每用三分配狗寶一分須用好泉水煎通草湯空心調服 採醫書

翻胃吐食用黃蜆殼田螺殼要久在泥中者各等分炒成白灰每二兩入白梅肉四兩搗和丸再入砂盆中蓋定泥固燒存性研極細每服二錢人參縮砂湯下或陳米湯亦可一用地龍糞一錢大黃七錢木香三錢為末每服五錢無根水調服三服見效忌煎炒醋

等汞水立珠

一用乾柿餅三枚連蒂搗爛用酒服甚效醫宗必讀

久患咳噎連至四五十聲者用姜汁蜜同煎服三次立效經驗單方

治膈症老桑樹榾柚燒紅存性為末好酒送下即愈集驗良方

治膈症用半夏製一兩製姜一兩糞坑浸七日硼砂三錢五穀虫五錢炒製南星一兩牛胆汁浸七次共為末每日空心服三錢燈心湯下同上

治噎膈用自己小便去頭尾服之久而自愈仝上

治膈食膨脹方五六月用老姜二三觔或四五觔盛在竹簍内或麻布袋浸在糞缸内七日取出洗净竹刀刮去皮切片空中弔着陰乾爲末每服三錢火酒調下不過三服全愈仝上

隔食隔氣韭汁梨汁姜汁人乳各二盞飯上蒸熟服之三日後再服如神

凡番胃症得藥而愈者切不可便與粥飯惟以人参五錢陳皮二錢老黄米一兩作湯細啜旬日後方可食

粥倉廩未固不宜便進五穀常致不救醫宗必讀

治噎食用生姜汁韮菜汁童便各一鍾仝放大碗内入鍋中水煮數沸候冷取出露一夜重煎温服日，服之以愈爲止集驗良方

一方柿餅雜乾飯内同蒸食絶不用水亦勿以他藥雜之旬日而愈有人三世死于反胃用此方而愈筆珠萃

治膈五香散芸香木香沉香丁香降香各等分煎服仝上

一方白槿十朵夏秋用鮮花春冬用乾花用日晒乾

連青蒂煎下杵頭糠五分或稻米穀米只用檣杵頭上粘的掃下右二味水二鍾早午晚一日三服即好 同上

翻胃便方用豆腐鍋粑黃色者佳炒研末每服三錢用沙糖水調服白湯下 神方珍記

噎膈番胃用葳靈仙一把醋蜜各半鍾煎五分吐出宿痰郎愈 同上

白菓散治翻胃白菓取汁半觔蜂蜜半觔半夏末五錢三味調勻重湯頓滾半炷香取起服後飲火酒一盞

七日如神同上

一方治五膈噎食用五穀虫三錢白硼砂錢半甘草一錢百藥煎二個為末烏梅為丸桐子大每服三錢燒酒下鶴菴子著

一方治翻胃用韭菜二兩牛乳一盞生姜汁半兩和匀溫服馮氏錦囊

一方治噎食用碓嘴上細糠蜜丸如彈子大每服一丸噙化津液嚥下又方用杵頭糠布包時、拭齒另煎湯時、呷之郎效同上

痢疾急救門

血痢不止用荷葉蒂十枚水煎服即止

赤白痢臍痛用吳茱萸泡過加黑豆一合同炒煎湯吞之即愈

姜茶治痢用上好細茶三錢姜三錢共同煎濃姜助陽茶助陰並能消暑解酒食毒一寒一熱調平陰陽不問赤白冷熱用之最良馮氏錦囊

下痢噤口開胃方用河糖半觔烏梅一個水二碗煎一碗時時服即愈神效

久痢不止用新鮮鹿角炭火上燒過放在地上出火氣研末每服三錢糖調匀米湯下又方暑天用新鮮乾荷葉燒灰存性爲末糖調匀赤痢燈心湯下白痢姜湯下

下痢已後成醃魚水此險症也用清明人家插楊柳取葉來煎湯下如止可救起病不多日下醃魚水年少者方可治年老者難治少者勞傷之症肉而化成血水平和調理可以挽回十分之二三也老者血氣久已衰弱而成此症神仙難治

宋孝宗患痢衆醫不效高宗偶見一小廝召而問之其人得病之由乃食湖蟹所致遂診脉曰此冷痢也乃采新藕節搗爛熱酒調三服即愈

治五色痢方用金絲鯉魚一尾重一二觔者佳用鹽醬葱每魚一兩用胡椒一分煮極透隨量飽食連湯喫更妙又丹方陳年，糕陳雨前茶冰糖茉莉花共煎湯一盞服之立愈

治一切痢不拘男婦小兒用木香方圓一寸一塊黄連五錢用水半升煎乾去黄連切木香焙末分三服第

一服陳皮湯下第二服陳米飲下第三服甘草湯下有一婦人久痢将危夢大士援此方因而得愈孫氏秘寶方

黑神散治腸滑久痢用石榴一個煅烟盡冷研仍以酸榴一塊煎湯服神效無比醫方考

遠年痢用上好豆酒煖熱一二鍾每鍾內入姜汁一二茶匙不宜多服數十次自愈錢青掄經驗單方

一用哺退雞子殼毛坑上掛燥研極細末将一分百滚湯送下即愈同上

噤口痢用烏梅二個夾住蝸牛一條線紮住安口中化水滴下愈 集驗良方

一方木鱉子研極細和麵作餅貼臍中亦效 同上

噤口痢方用鹿角二兩煅存性為末大人服三錢小兒服二錢酒送下早晨服藥不過一時就要飯吃隨與食之即愈百發百中 仇氏傳方

一方用姜製黃連與人參仝煎細細呷之 已任編

一方用黃連以吳茱萸炒過去茱萸人參等分入糯米一撮仝煎加姜汁細細呷之 馮氏錦囊

一方用石蓮肉日乾為末每服二錢陳倉米飲調下便覺思食

一方用石蓮肉乾山藥各等分為細末生薑茶煎湯調下三錢名蘋蓮飲準繩

一方石蓮子肉去青心一兩木香三錢研末每服二錢米湯調下或用蘿蔔擣自然汁調蜜緩、飲之集驗良方

一方田螺一個陳豆豉一兩葱十根姜五錢共搗成泥入麝香少許入一餅敷入病人肚臍間用人參五

分煎湯噙于口中以嚥下思食為度同上

噤口痢米粒不下百藥無效者用穀虫焙乾為末每服二三錢米湯下同上

一方用山查肉不拘多少為粉每用二杯紅痢加蜜白痢加黑沙糖拌勻滾水調服立時止仇氏傳方

一方用石蓮子肉砂仁等分為末每服二錢老米湯調服同上

一方用精肉八兩煮爛做餅加麝香一錢貼臍上草紙蓋上熨之即開胃筆珠萃

一方用穀樹葉焙燥研細白痢用紅糖紅痢用白蜜調服每三錢又有頭苧麻葉九蒸九晒為末每服三錢白痢紅糖紅痢白蜜各隨調下同上

一方用火腿骨煅一两蓮肉二两木香七錢烏梅三錢醋糊為丸桐子大每服七丸蜒蚰湯下仝上

一方噤口痢諸藥不效者用糞缸中蛆不拘多少洗淨瓦上焙乾為末每服三匙米飲調服即能思食古今醫鑑

一方用秤錘燒紅用好醋澆之令病人吸其烟神效

同上

三白湯治痢不拘赤白用白砂糖一兩雞子清一個燒酒一鍾半煎八分溫服 杜守玄傳方

舒鳧飲治白痢如魚凍色久不愈者用白鴨一隻殺取血以滚酒和飲之立止 劉相川傳方

五色痢五臟蘊熱熏腐臟腑五液俱下故其色皆見于外極危症也須用金銀花炒黃連歸身白芍木香乳香之類清熱解毒和血主之 馮氏錦囊

普佗和尚治痢獨礬丸好明礬一觔或半觔用舊瓦陰

陽合定用黃泥固濟兩頭要泥堅燥以文武火煉乾爲度取白米飯搗煉爲丸硃砂爲衣每服一丸赤痢甘草湯下白痢姜湯下白赤兼者甘草姜湯下大有神效作小丸重二三錢爲妙

小兒痘症危絶急救門

延生第一方小兒初生臍帶脱落後取置新瓦上用炭火四圍燒至烟將盡放土地上用瓦盞蓋之存性研爲細末預將硃砂透明爲極細末水飛過臍帶若有五分重硃砂用二分五厘生地黃當歸身煎濃汁一

二蜆壳調和前兩味抹兒上腭間乳母乳頭上一日之内用盡次日大便遺下穢污濁垢之物終身永無瘡疹諸疾生一子保一子十分妙法也古今醫鑑

太極丸臘月八日取捉活兎一隻取血以蕎麥麵和之少加雄黄四五分候乾成餅凡初生小兒三日後如菉豆大者與二三丸乳汁送下遍身發出紅點是其徵驗有終身不出痘疹者雖出亦不稠密也嬰兒已長會飲食者就以兎血啖之尤妙仝上

三荳湯治天行痘疹鄉隣有此症預服之能活血解毒

則不染用赤豆一升大黑豆一升菉豆一升右以三荳淘令淨用水八升煮豆熟日逐食豆飲汁空心服七日永不出 同上

龍鳳膏用烏雞蛋一個地龍活而細小者一條即田間之蚯蚓也先將雞蛋開一小竅入地龍在内夾皮紙糊其竅鍋上蒸熟去地龍與兒食之每歲立春日食一枚終身不出痘疹鄉隣痘疹流行時食一二枚亦好 同上

初生觧毒用江西豆豉即淡豆豉也揀大者七粒甘草

三分水一盞飯鍋上頓小兒未乳之先先以此藥頻抿與食然後飲乳則胎毒消而痘自稀或竟不出屢試屢驗不可輕忽之方　成山和尚傳

稀痘方赤豆黑豆菉豆各一兩研末入新竹筒中削皮留節鑿孔入藥杉木塞緊用蠟封固臘月浸廁中一月取出風乾每藥一兩配梅花片三錢每服一錢霜後絲瓜藤絲煎湯下稀痘神效　朱禹功仙方

絲瓜散治痘出不快最妙絲瓜不拘多少連皮子燒存性為末每服一抄時時用米湯調服此物發痘最妙

或以紫草甘草煎湯調服尤佳 古今醫鑑

痘疔用甘蔗滓晒乾真香油點燈燒成灰以津液調勻銀簪挑破點上立效一方加珍珠末油胭脂調塗更效 經驗單方

痘入眼用防風谷精草白蒺藜去刺炒研等分為末每日食後服二錢五分米泔水調下 古今醫鑑

痘黑靨用猪第二番血清水半盞酒半盞和勻入龍腦一分溫服良久利下瘀血一二行痘即紅活此方屢驗 摠微論

痘潰難靨用墻上多年爛茅草洗焙為末摻之取其性寒解毒又多受霜雪能燥濕也水痘變瘡摻之亦效 陳文中方

痘毒鵞肉蒸熟淡喫其毒自消若潰爛不愈剝泥蛤蟆皮貼上即愈 屢驗奇方

痘中有黑色者用針刺破以蒲公英根上白汁點之熬膏點之更妙 神方統載

痘毒用蘆柴根燒存性搽之不過數次全好或用癩蝦皮亦好 同上

稀痘説痘曰天瘡又曰天花以其毒自先天所種非緣後起予思藥力焉能斡旋于此身朕兆之初予稀痘之説本屬難信然方書中每載稀痘之方是亦懷少慈幼之美意余故採於無損元氣者列之以備擇用但爲長上者既欲稀於具形成象之後猶當清心淡慮先稀於二五妙合之前爲曲突徙薪計之爲愈也

欽天監秘傳西洋奇驗狀元稀痘神方原懷生地一支重一兩或八錢切薄片河水一碗漫火濃煎至五分俟兒初生即去渣帶温徐・用茶匙挑服即下黑屎

儘一週時服完黑、屎下盡斯胎元之毒盡去方可飲乳服此方一生不出痘者不可勝數間有出者不過數粒從無痘患余家自用及傳人俱於孕婦交九個月即買就大生地切薄片放河水半碗每日飯鍋上蒸兩次勿間斷俟兒出世方將地黃渣用布絞去頓温徐，與服此法不但備用次第抑可免臨時錯悮且地黃既熟得米穀之氣汁濃厚功效益神也惟願得是方者廣為傳說或轉刻施送俾得永消痘厄誠種福無涯也 吳興徐蘇川梓送方

一方寬大黑魚一尾不帶傷者妙養在水缸内取水洗浴神驗如不用不可食之或放生河内或另送親友最簡最玅 異授方

一方八月採葫蘆花陰乾入除夜蒸籠湯浴兒一方用苦楝子煎湯不拘時浴俱可不出痘縱出痘亦稀少

一方硃砂一錢研細麝香五厘草麻子三十六粒去殼研爛合和再研成膏五月五日塗小兒頂心前心後心手足心手足四彎兩腋共十三處如制錢厚大

任其自落頭頂不可悮搽顖門如兒髮長分開塗之每料只塗一兒 古神方

一方羌活生地黃栢酒浸防風升麻各五分麻黃甘草歸身各三分川芎藁本柴胡葛根黃芩酒浸紅花細辛丹皮白术各二分吳茱萸連翹各半分藥味逐件秤准立春立夏立秋立冬日用水二鍾煎八分將紗一方覆于碗口露一夜次早溫服一年之内必服四劑不可缺欠永不出痘即出亦稀如一時不能服完分兩三次服盡余思四立乃天地陰陽氣候變易

之時人在氣交中氣血亦隨動乘其闔闢之候驅其胎毒是亦有理故録之春秋減麻黃一分夏減麻黃分半增連翹三分冬照原方

稀痘神方用山查肉煮令濃絞取汁用芡寔粉收膏當食物任意喫 陳真人慈幼方

小兒驚風諸症急救門

小兒驚風用活蚌一隻蛤蟆一隻先將蛤蟆割破些須心口取肝少許米粒大不可傷命放生將蚌起開小口取内津水和肝與小兒服之立效

小兒大叫一聲就死者名爲老鴉驚先以散蔴繩纏住脇下及手心足心以燈心燃火爆之取老鴉蒜晒乾車前子等分爲末水調貼手足以火焠手心足心及肩髆眉心鼻心即醒也

驚風方取蚱蜢數隻入草枕内夜卧候乾臨病取一隻煎湯服之

小兒雷驚瘀血停心、痛十餘日不止者用勾藤勾當歸桃仁玄胡索乳香姜黄各等分水煎服

小兒急慢驚風方用巴霜一錢明天麻二錢北細辛二

錢共為末用米飯為丸如菉豆大每服十二三丸姜湯下

一方五月五日取蝦蟆胆拌硃砂丸如芝麻大一歲服三粒五歲服十粒薄荷湯下或韮汁下效

慢驚風方用真白鴨夾花每歲一朶加金罷同煎服神

急驚風用天麻七錢胆星二錢半夏二錢白附子一錢

全蝎一錢輕粉一錢硃砂二錢雄黃一錢麝香三分

珍珠五分枳實一錢硼砂一錢槐角子一錢金棗三

十二個去核將巴豆二十粒入棗内麵包煨熟去巴豆不用將棗仝前藥末搗爲丸金箔爲衣每丸重一分薄荷湯下

小兒卒暴死去不解何病狗糞一丸絞汁灌之即活錢青掄單方刊本

小兒驚風用螞蜡焙乾爲末姜湯少許送下即好集驗良方

小兒口噤不乳用蟬蛻十四個去嘴脚全蝎十四個炒去毒共爲末調乳服同上

臍風等症須看上腭如有白泡點子須用銀針輕、拭破若有血出者可愈凡小兒落胎之時視其臍軟者無臍風也如臍硬直者定有臍風速宜預治辰砂殭蠶散治撮口臍風用辰砂水飛五分直殭蠶炒一錢天竺黃五分珍珠三分麝香一分為末每用少許蜜調塗口令自噙之急救湯治臍風猴猻糞山中者良不拘多少煎湯喂之家畜者不用治撮口用牛黃一分研竹瀝調勻滴入口中又方取壁虎枚裝瓶內用硃砂細末亦入瓶內封口月餘令食砂取出其身赤色陰乾為末每服一二分酒下又方治撮口川山甲

用尾上甲三片羊油炙黃色蝎梢七個共為細末人乳汁調塗乳上令兒吮之用厚衣包裹須臾汗出即好以上俱出馮氏錦囊

二豆散治臍突腫赤小豆淡豆豉天南星去皮臍白斂各一錢為末用芭蕉自然汁調敷臍四傍得小便自下即愈同上

龍骨散治臍内瘡龍骨煆一錢輕粉五分黃連一錢白礬煆五分為末乾摻臍中又用大紅羊絨燒灰為末單敷效同上

掩臍法治嬰孩大小便不通用連根葱白一莖去土生姜一塊淡豆豉二十一粒鹽一小匙仝研爛作餅烘熱掩臍用帛札定良久氣透自通不通再用一餅

一方治小便秘澁用赤茯苓麦門冬燈心車前子水煎服同上

葱蜜湯治嬰孩大便虛秘用葱白三莖水煎去葱入炒阿膠及生蜜溶化食前服同上

治小兒走馬牙疳用女人溺桶中白以火煅過研末一錢銅綠三分麝香一分共為末塗患處即愈集驗良方

一方治小兒牙疳黃連一兩硼砂一錢胆礬一錢水片五厘共為細末塗之同上

一方銅綠水飛雄黃水飛五棓子炒焦、枯白礬白褐燒存性烏梅肉炙乾細辛去葉蘆炒焦胡黃連炒焦共八味各等分用老茶葉葱根煎湯以雞翎洗去腐肉見鮮血以此藥塗上同上

治小兒撮口臍風用紫蘇前胡殭蠶炒各五錢水煎去渣候溫用綿花蘸藥滴口中頻、滴之以口開為度開後切勿令其吮乳盖此症乃喫乳太多所致非但

臍風也故小兒月內喫乳倍常男皆不能育又方口含上好燒酒對臍吮之即愈 同上

治小兒痰涎壅盛牙關緊閉用猪牙皂莢明礬各等分共爲末每用一匙白湯下 同上

犀角消毒飲治小兒丹毒遍身遊走風熱煩燥昏憒用牛蒡子炒一錢荆芥防風黃芩各一錢犀角五分生甘草五分水煎服外用精牛肉片子貼之乾則換之 同上

治小兒口瘡舌瘡用桑皮中白汁敷之立愈又用生黃

栢末塗之同上

至聖保命丹治胎驚眼竄手足抽掣急慢驚風全蝎十四個去毒防風天麻白附子泡南星蟬退殭蠶各五錢硃砂另研水飛一錢麝香五分金箔十片為末以粳米飯為丸芡實大每服一錢薄荷湯下又方治小兒胎中受驚故未滿月而發驚用硃砂牛黄麝香各少許為細末取猪乳調服馮氏錦囊

蟬花散治嬰孩夜啼不止狀若鬼祟用蟬蜕七個為末薄荷湯入酒少許調服蟬蜕用下半截盖上半截能

令夜啼耳又花火膏用灯花七個硃砂少許研細末
蜜調候兒睡抹唇口同上

雄麝散治小兒生人客忤腹痛危急用雄黃一錢明乳
香五分麝香少許為末雞冠血調服又黃土散治猝
中客忤用灶中黄土蚯蚓糞各等分研細水調塗小
兒頭及兩足心手心眉心為良同上

保生湯治胎風鎖肚口噤用防風七分枳殼炒五分橘
紅三分茯神三分荆芥穗三分遠志去心四分南星
姜炒五分桔梗三分甘草二分加燈心煎服同上

生地黃湯治初生兒眼不開并血眼用生地黃赤芍藥川芎當歸瓜蔞根甘草各一錢為細末燈心湯調下 同上

真金散治胎赤眼用黃連黃蘗當歸赤芍藥杏仁用乳汁浸一夜晒乾為極細末用生地汁調服頻頻點眼更用荊芥煎湯溫時洗淨 同上

浴小兒當護兒背風寒皆自此而入成癇成風浴水煮以金銀丹砂虎頭骨之類則除驚癇客忤煮以銅鐵等器則辟惡氣煮以李楮樜根黃連則不生瘡丹毒

煮以麥冬荆芥鉛錫則安心氣同上

凡小兒衣不可露于星月之下心鑑曰有鳥名天地女又名隱飛鳥最喜陰雨夜過飛鳴徘徊其鳥純雌無雄善落羽人家屋簷置兒衣中令兒作癎必死化爲其兒故小兒生至十歲浣衣不可夜露亦古書相傳之一証也同上

治小兒外腎赤腫用蛇床子歸尾威靈仙苦參各一錢水煎洗陰子腫大不消用硼砂一分水研塗之即效集驗良方

治小兒虫積用榧子二三觔陸續喫完即愈

小兒牙関緊閉急慢驚風不省人事者用天名精一名地松一名活鹿草絞汁入好酒灌之即甦以醋拌渣敷項下 本草從新

月内胎驚用母猪乳仝硃砂牛乳少許抹口甚效 本草從新

小兒日啼不止用牛黃辰砂各五厘末塗兒舌上立止 保生碎事

小兒痰喘用巴豆一粒杵爛綿裹塞鼻男左女右痰即下驗過 龔氏醫鑑

齁喘用活鯽魚七個以器盛之令兒自便尿養之待紅煨熟食之甚效一女年七歲用此永不發也瀕湖集簡方

小兒失音不語蝦蟆膽點舌尖上立效單方經驗

舌瘡飲乳不得用白礬和雞子置醋中塗兒足底二七日愈幼科良方

小兒牙疳用人中白研末擦之立效錢氏施方

小兒臍內潰爛出水不止衆危者用赤石脂研末敷上立愈張絅如屢驗方

小兒受寒吐瀉若不早治成慢驚風用小丁香陳皮茱

分水煎服立愈幼科良方

小兒脫肛因久患瀉痢所致用鮮蚌肉一隻敷肛門上立刻縮上張絅如經驗方

小兒中惡卒死用雄黃水飛研末仝桃樹枝煎湯調灌立生單方

小兒急慢驚風歌云一半丹砂一半雪其功全在青蒿節任他死去亦還魂服時須用生人血其法在秋末取青蒿節根內虫同前藥為丸如菉豆大每歲服一粒歌中稱一半雪謂輕粉也人生血謂母乳也朱丹

溪仙方

又方歌云一錢硃砂七分雪七個姜蠶三個蝎不拘急慢與驚風調服親娘蜜與血雪者輕粉也全蝎去頭足焙末母乳與蜜水同調兒小者分作三服下同上

驚癇不知人事嚼舌仰目者用犀角濃磨水服之立效為末服亦可 廣利方

探生散治小兒急慢驚風諸藥無效用此吹鼻定其生死用雄黃一錢沒藥一錢乳香五分麝香一匙右為末用少許吹鼻如眼淚鼻涕俱出者可治 古今醫鑑

一方治小兒口瘡黃連為末每一字蜜水調服同上

五通膏治小兒臍風撮口用生地黃生姜葱白蘿蔔子田螺肉各等分共搗爛搭臍上四圍一指厚抱住候一時有屁下泄而愈同上

治小兒赤遊腫若徧身入心腹即能殺人方搗伏龍肝為末以雞子白和敷乾易之千金方

一方伏龍肝亂髮灰二味為末以膏和敷之同上

治小兒霍亂方研牛糞滓乳上服之或牛涎灌口中一合同上

治小兒腹脹滿方燒父母指甲灰乳頭上飲之又方韮根汁和豬脂煎細，服之又方米粉塩等分炒變色腹上摩之 同上

治小兒吐血方燒蛇蜕皮末以乳服之并治重舌又方取油三分酒一分和之分再服 同上

治小兒急驚方用開元通寶銅錢燒之有水銀出可治急驚 研北雜志

諸蟲咬傷急救門

蠍蠆螫傷用温湯漬之數易至旦愈 華陀方

一方醋和黄丹塗之即愈 肘后方

一方水調硇砂塗之立愈 千金方

一方半夏末水調塗之立愈 錢氏篋中方

一方猫屎塗三五次即瘥 心鏡

一方虫傷獸咬端午日取白礬一塊自早日晒至晚收用凡百虫所傷將此礬末敷之效

一方端午日午時取壁虎一枚以雞胆開一竅盛之陰乾每以一星傳之神效 青囊方

諸蛇咬傷用刀一把燒紅置白礬于上汁出熱滴之立

瘥貞元十三年有兩僧流南方到鄧州俱被蛇咬令用此法便瘥更無他苦■劉禹錫傳方

一方用田雞一個搗爛貼患處或用羊眼荳葉搗汁頓飲渣罨上或冲酒服

一方用絲瓜根搗碎絞汁生酒冲喫一醉立止此係海上神方

一方用自已新鮮大糞擦傷處即愈永不爛屢驗

一方新汲水調白芷末一觔灌之神效按夷堅志云

臨川有人被蛇傷即昏死一臂如股少頃遍身皮腫黃黑一道人以新汲水調香白芷末一觔灌之覺臍中消，然黃水自口出腥穢逆人良久稍縮如故又云以麥冬湯調尤妙仍以末擦之又經山寺僧為蛇傷一脚潰爛百藥不愈一遊僧以新汲水數洗淨腐敗見白筋挹乾以白芷末入胆礬麝香少許擦之惡水湧出日，如此一月平復

一方毒蛇咬用針刺患處出血急用繩紮兩頭浸糞缸內毒不內攻用雄黃五錢靈脂一兩共末每服二錢

酒下再服神效
一方烟管燒熱滴油塗之百試百効用泥蛤蟆搗爛
敷傷處即好
一方用銅皮一張依傷處大小開一孔如無銅皮銅
錢亦可取火炮藥塡患處銅孔上以火燃之拂去再
塡再燃知痛爲度四畔當有小泡黃水淋出其毒已
去即愈此方百試百効其驗如神古傳神方
一方青麻嫩頭搗汁和酒等分服三盞以渣傅之毒
從瘡出以滓去水中永不發看傷處有瘡是雄無瘡

足雌蛇以針挑破傷處成竅傳藥摘玄方

一方重臺六分續隨子仁七粒擣篩為散酒服方寸匕兼唾和少許塗咬處立効崔元亮海上方

一方獨莖狼子根或葉擣爛臘猪脂和塗之立瘥崔氏方

赤練蛇咬先用活雞刀割一塊貼患處換貼二三塊自愈白芷末一兩水服下死者立生爛入骨者白芷末加胆礬射香少許日、摻之立愈單方

一方青木香不拘多少水煎服効不可述袖珍方

一方先以小便洗去毒血次以牙垽封護之甚妙且不腫痛 醫方摘要

一方毒氣攻心者以磨刀水飲之即愈 救急方

一方蛇牙斷入肉中痛不可忍者勿令人知私以荇葉覆其上外以物包之一時折牙自出 肘后方

蛇纏人身就以熱尿澆之或溫水淋之即解 同上

蛇入七孔刺母猪尾血滴入即出也 千金方

蛇入人口因熱取涼臥地上有蛇入口不能出者用刀破尾納生椒二三粒裹定須臾即自退出也 聖惠方

蜈蚣咬傷畫地作王字內取土擦之即愈 瀕湖集簡方

一方嚼香附塗之立効 袖珍方

一方胡椒嚼封之即不痛 多能鄙事

一用蚯蚓泥把之用雞冠血塗之或以桑樹汁敷之

一用羊眼荳葉擦或搗爛敷上即止痛或用秋海棠葉擦之累驗

一方取烟筒頭內硬煤擦之即時痛止 濟急良方

蜈蚣入腹刺羊血灌之即吐出 三元延壽書

昔有店婦吹火筒中有蜈蚣入腹店婦樸地號呼可

畏道人劉復貞用此方而愈

一方以猪血灌之或飽食少頃飲桐油當吐出 廣利方

蜘蛛咬傷貞元間崔員外從質云目擊有人被蜘蛛咬

一身生系腹大如孕婦其家棄之乞食于道有僧遇

之教食羊乳數日而愈

一方大藍汁一碗入雄黃麝香少許點患處仍服其

汁神効之極昔一人被傷頭面腫痛幾不救服此兩

日作瘥愈 傳信方

一方即縛定咬處勿使毒行以貝母末酒調服半兩

至醉良久酒化為水自瘡口出水盡仍以藥末塞瘡口甚妙仁齋直指方

一方以葱一枝去尖頭將蚯蚓入葱管中緊揩兩頭勿令洩氣頭搖動即化為水以點咬處甚效譚氏小兒方

一方用羊桃葉擣傳之立愈張文仲備急方

蟢蛛傷其虫咬人至死惟以桑柴灰煎取汁調白礬末敷效

花蜘蛛傷與毒無異用野纖縣即道人頭擣汁一盞服仍以滓傳之摘玄方

毒蜂刺傷薄荷葉挼貼之或蚯蚓糞塗之　外臺秘要

一方取蜂房爲末猪脂和傳或煎水洗　千金方

一方蟹殼燒存性研末蜜調塗之　證治要訣

一方用頭垢塗之立愈　瀕湖集簡方

一方用小便洗擦拭乾用香油塗之或雄黃末擦之或蜂房末擦之皆效　秘方集驗

刺毛傷用白洋糖同短楮灰塗之立愈　濟急良方

一方用硃砂麝香塗之即愈　李明醫説

一方馬齒莧搗熟封之甚效　靈苑方

一方甘草湯洗即愈或即將刺毛肚腸搽于患處其痛亦緩吳興楊氏傳方

射工溪毒芥子末和酒厚傅半日痛即止千金翼方

一方升麻烏翣水煎服以滓塗之肘后方

一方馬齒莧擣汁一升服以滓塗之良崔元亮海上方

一方白雞矢二枚以飴糖和之塗瘡上肘后方

一方鷄腸草擣塗之經日即愈盧氏方

蚯蚓咬毒形似大風眉鬢皆落即濃煎塩湯浸身數次即愈淅西將軍張韶病此每夕蚯蚓鳴于體一僧用

此方而安 邵真人經驗方

一方用石灰水浸之最妙 同上

黄蠅傷毒烏蒙山峽多小黄蠅生毒鱗中囓人初無所覺漸癢爲瘡毒勿搔但以冷水沃之擦塩少許即愈 方輿勝覽

蝸牛咬毒丶行遍身者蓼子煎水浸之立愈但不可近陰令弱也 陳藏器草本

水弩射人熊胆塗之更以雄黄同酒磨服 斗門方

蠼螋尿毒畫地作蠼螋形以刀細取腹中土塗二次即

愈孫真人云予得此疾經五六日不愈或教此法而瘳乃知萬物相感莫曉其由也千金方

一方如繞腰者敗醬煎汁塗之良楊氏産乳

一方雞子一個輕敲小孔合之立愈兵部手集

螻蛄傷毒用醋和石灰塗之即愈聖惠方

蟲蟻螫人用梳垢封之立愈李瀕湖集簡方

沙虱傷毒斑蝥二枚一枚研末服一枚燒至烟盡研末

傳瘡中立瘥肘后方

百蟲咬傷以燈心薰之出水妙濟急良方

一方姜汁先洗用明凡雄黄貼之立效屡騐神方
一方用萵苣菜搗汁塗之良事林廣記
桑蟲咬毒用丁香末蜜調塗之聖惠方
誤吞水蛭腸痛黄瘦青靛調水服之即瀉出普濟方
一方黎蘆炒爲末水服一錢必吐出德生堂方
一方牛血熱飲一二升次早化猪脂一升飲之即下同上
蜈蚣入耳炙猪肪或鷄肉掩自出梅師方
蜒蚰入耳用胡麻油作煎餅枕卧須臾自出昔李元淳

尚書在河陽日蜒蚰入耳中無計可使腦悶有聲耳忽大痛至以頭擊門柱奏狀危困因發御醫療之不驗忽有人獻此方乃愈蘇恭圖經

一方硇砂胆礬等分為末吹一字虫化為水聖濟方

一方地龍為末入葱內化水滴入則蜒蚰亦化為水同上

一方用牛酪灌入即出若入腹則飲三升即化為黃水華陀方

一方蝸牛椎爛置于耳邊即出也瑞竹堂方

蛆虫入耳杏仁搗爛取油滴入非出則死 扶壽精方

一方緑礬摻入即化為水 摘玄方

蟻入耳中鯪鯉甲燒研水調灌入即出 肘后方

飛虫入耳石斛数條去根如筒子大一邊紝入耳中四畔以蠟封閉用火燒石斛盡則立愈熏右耳虫從左出木出更作 聖濟方

一方生半夏麻油調塗耳門即出 本事方

百蟲入耳胆礬和醋灌之或韮汁滴入即出 千金方

一方生油調銅緑滴之即出 衛生家寶方

一方人乳滴之即出也聖濟總録

一方雄黄燒撚熏之自出十便良方

諸獸咬傷急救門附人咬傷

虎傷凡被虎咬傷必血大出其瘡口立時潰爛痛不可忍即用猪肉貼之隨貼隨化隨化隨易速用地榆五兩三七一兩苦參四兩各爲末和匀摻之隨濕隨摻血即止而痛即定盖地榆凉血苦參止痛三七止血合三者之長故奏功寔神見石室秘録

顛狗咬方凡顛狗咬其毒由血臟入骨毒攻在心則立

死傳毒在腹則懷狗胎故治法以攻毒援毒治血舒經護心保元為主其法斑猫一具洗淨醋炙淬火三次酒煆三次細磨雄黃三分乳香三分血竭五分蘄蛇三錢煆存性用糯和丸計重一分一粒大人三粒婦人童子一粒冷水半盃嚥呷下毒從便出矣無不治也　韓真人方

瘋犬咬傷七日當一發三七日不發乃脫也急于無風處以冷水洗淨即服韮汁一盌隔七日又一盌四十九日共服七盌須百日忌食酸鹹一年忌食魚腥終

身忌食犬肉方可保全否則十有九死徐本齋云有瘋犬一日咬三人止一人用此法得活親見有效葛洪肘后方

一方定風散炮南星與防風等分以童便服三錢即好朱丹溪方

一方急拔去頭頂中紅髮数根輕者以天南星防風為末各一錢五分調酒服重者用斑毛五個去頭尾翅足以糯米合許全炒黃色去米將虫為末酒一盞煎半盞空心温服從小便中行下惡物如小狗狀必

待小便清白為毒盡如未盡須再服之咬處輕者以栗子嚼敷或紫蘇葉嚼敷重者必用男人熱糞敷之冷則更易待大勢将定郎用乾人糞燒灰麻油調敷

一方木鱉子一個小麥一合同炒焦黄色去麥取木鱉子研末用酒冲服吳叔九神驗方

一方雄黄五錢無毛山茹菇三錢射香二錢為末酒下作二服

一方用斑蝥七枚以濕糯米同炒以米黄為度去米為末熱酒空心温服取下小肉狗数十枚為盡如少

數日再服七次無狗形永不發也屢驗易簡方

一法用前方下毒之後冷水調青靛或黃連水以解其毒否則恐傷臟腑但不宜服一切熱物也醫方大成

一方用頭垢蝟皮燒灰等分水服一盞口噤者灌之更以頭垢少許納傷中外用熱牛屎封之千金方

一方紫荊皮為末砂糖調塗留口退腫口中仍嚼杏仁去毒或胆礬末傳之立愈濟急方

一方雄黃五錢麝香一錢為末酒下作二服救急良方

常犬咬傷蓖麻子五十粒去殼以井花水研膏先以鹽

水洗患處乃貼此膏如血不止者舊屋尾上刮下青黛按之即止袖珍方

一方用左盤龍即人屎是也厚封之數日即愈蘭氏經驗方

一方杏仁嚼爛塗之布縛好愈又或以筆就所傷處書一虎字外盡圈圍之又煎狗尾毛菜油敷便易良方

一方痛絶昏悶者浸椒水調莽草末傳之便民圖纂

一方若復發者用蔓菁根擣汁服佳肘后方

虎爪并咬傷山漆研末米飲服三錢仍嚼塗之李瀕湖集簡方

一方嚼粟塗之甚妙粟即小米也 葛氏方

一方生葛煮濃汁洗之仍擣末水服方寸匕日夜五六服 梅師方

一方擣青松數斗頻頻飲之以渣敷咬傷處頻易即愈 古方

一方生姜汁服兼洗傷處研白礬末敷上止痛

一方虎爪傷人先喫麻油一盌仍以油淋洗瘡口

一方韮白擣汁飲并塗之日三服瘥乃止 肘后方

一方刺蝟脂日日傅之内服香油 梅師方

一方用獨顆栗燒研傅之甚妙 醫說

熊羆傷人蒴藋一大把以水一升漬須臾取汁飲以滓傅之 張文仲備急方

一方嚼小米塗之或煮鐵令有味洗之 肘后方

馬咬腫痛用益母草磨細和醋炒塗之 千金方

一方用馬齒莧煮食之或獨顆栗子燒研傅之 醫說

一方用婦人月經布或人中白燒灰為末和猪脂調敷或用鞭梢燒灰塗之

一方鷄冠血塗之駿馬用雌鷄牡馬用雄雞 肘后方

馬咬及蹈傷服童便韮汁妙寒水石末敷傷處旬日亦愈 集驗方

馬氣入瘡或馬汗馬毛入瘡皆致腫痛煩熱入腹則殺人多飲醇酒至醉乃愈 同上

一方毒氣入腹者葶藶子一兩炒研水一升浸湯服取下惡物妙 續十全方

一方以生烏頭末傅瘡口良久有黄水出即愈 靈苑方

一方雞毛燒灰酒服方寸匕外以乾冬瓜燒研洗淨傅之 集驗方

狐尿刺人腫痛欲死者桑灰汁漬之或熱馬尿亦可冷即易或熱蠟着瘡幷烟薰之令汗出愈　肘后方

一方麻鞋網繩如棗大婦人内衣有血者手大一片鉤頭棘針二七枚幷燒研以猪脂調傅當有蟲出　陳藏器本草

狼烟入口以好醋少許飲之即愈　秘寶方

猪咬腫痛松脂煉作餅貼之　千金方

一方龜板燒研香油調搽之　葉氏摘要方

猫咬腫痛雄鼠屎燒灰油和傅之神效　壽域神方

鼠咬傷取猫涎傳之或猫屎搽之即愈同上

一方以麝香封患處甚妙經驗方

人咬傷鱉肚骨龜板骨各一片燒研油塗之葉氏摘愛

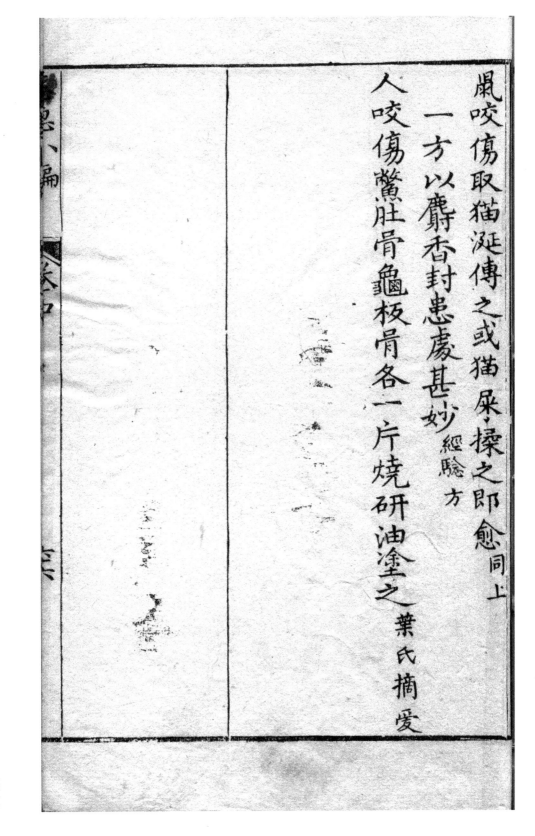

慈惠小編卷中終

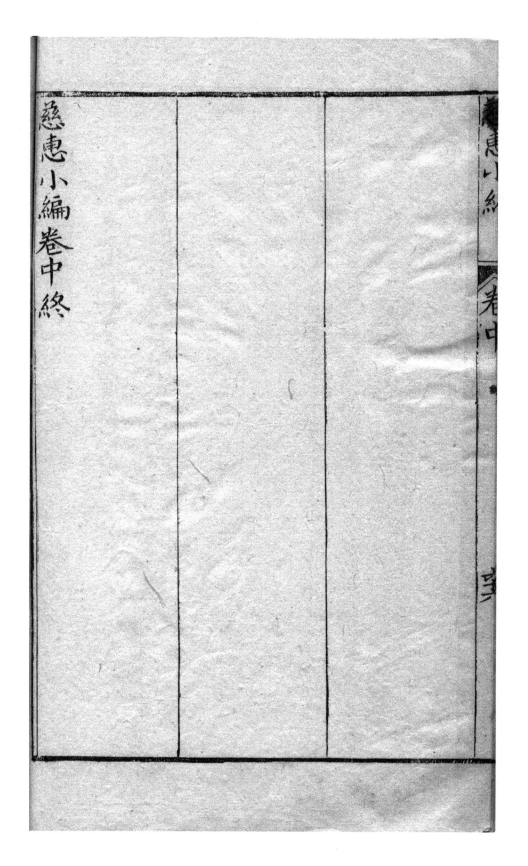

慈惠小編卷下

吴興　錢守和

吴　煥纂輯

同里　金萬全

費守美　仝参訂

古方神治門

孔子大聖枕中丹龍骨龜甲遠志石菖蒲等分為末常服令人聰明服者每清晨秤服錢許

狀元丸教子第一方菖蒲去毛遠志甘草水煮去心各

一两白茯神巴戟天水煮去心各五錢人参地骨皮三錢右各為末用白茯苓二两糯米二两共為粉用石菖蒲三錢煎濃湯去渣打餬為丸每服三五十丸空心服見馮氏錦囊

王肯堂讀書丸石菖蒲兔絲子酒煮遠志各一两地骨皮二两生地黄五味子川芎各一两右為末薄糊丸桐子大每服七八十丸臨卧白湯下準繩

天王補心丹治怔忡健忘益血固精清三焦化痰涎祛煩熱除驚悸療咽乾養育心神

熟地茯苓栢子仁丹参百部石菖蒲牛膝酒洗杜仲天門冬去心當歸棗仁五味子玄参遠志白茯神人参桔梗炙甘草各等分硃砂為衣蜜丸彈子大每服一丸臨睡龍眼湯下

尊肥親丸世上只有肥兒丸並無肥親丸揆之烏烏反哺之私可以人而不如烏乎凡家有老親及年六十外氣血已衰者宜時、照方脩合藥止用七分兩準加現身譬諭之言不過深望人子之血心辦藥耳人参一錢多者更妙此味即在人子身上取用出內府帶心血者佳肉桂一两少者二三錢此味即在人子貼肉上取用無心者不堪入藥歸身二两酒炒此味即在人子及身體己者取用無二心者真茯神三两抱木此味即在人子服勞安靜上取用若味薄性躁者偽遠志三两此味即在人子立身遠大顯親揚名上取用若能體親心堅苦志者尤效棗仁三两此味即在人子早發仁心貽親令名上取用產心田出肺腑者妙甘草二两此味即在人子情性平和善攝親心上取用若甜言蜜語出之不真者服之無功

此數藥肥親親有不肥者天翻地覆必無是理也依方取用斯為人子果能肥親不必用藥肥兒而兒自無不肥也佛偈曰堂上有佛二尊懊惱世人不識不用金彩粧成非是檀香雕刻只看在世爹娘便是釋迦彌勒若能敬奉得他何用別求功德

肥親日用丸不論風寒暑濕勞苦安逸皆可服大熟地大生地各八兩天冬麥冬去心各四兩歸身白芍酒炒各六兩枸杞遠志各四兩共煉蜜為丸每服四五錢開水下

岐真人養老丹六味丸加五味子一兩麥冬三兩與之常服則腸無燥結之苦胃有能食之歡此方之妙竟可由六十服之百年終歲不斷常服蓋老人氣血之虛盡由于腎水之涸六味丸妙在極補腎水又能健脾胃之氣去腎中之邪火而生腎中之真陽故最宜

許真君救荒良方歲遇凶歉饑餓者衆此方所費不多一料可濟萬人用黄荳七斗芝麻三斗水淘過即蒸不可浸多時恐去元氣蒸過即晒、乾去殼再蒸三蒸三晒擣爲丸如核桃大每服一丸可三日不饑凶

年修合濟人功德無量

附不餓丸紅棗三觔芝麻三升糯米三升焙燥磨末煉蜜為丸如彈子大每服一丸湯水皆可下或遇凶年或經遠出皆足備急自濟〻人為功不小

純陽呂祖太平丹治一切瘟疫時症並用藿香湯下孕婦忌服有力者脩合濟世甚驗然藥須擇道地每味磨細秤淨末方準柴胡葛根雲苓枳殼厚朴各六兩黃芩梹榔廣皮神麯各九兩麥芽十二兩半夏四兩五錢淨蘇葉七兩五錢青木香三兩右各為末煉蜜

為丸如彈子大每服一丸重者二三丸止

秘傳辟瘟救苦丹治一切瘟疫時症傷寒感冒無論已傳經未傳經大人每服一丸小兒半丸凉水調服出汗即愈重者連進二服未汗之前切不可食熱湯熱物汗後不忌此丹百發百中奇效無比有力者宜修合以濟世瓜兒天麻〻黃乾姜松蘿茶菉荳粉各味一兩二錢甘艸硃砂飛過雄黃飛過各八錢生大黃二兩共為細末煉蜜為丸彈子大收貯磁器內勿令洩氣

東坡雄黃丸治蠱毒及蟲蛇畜獸毒雄黃明礬生用各等分右于端午日合研細鎔黃蠟和丸如桐子大每服七丸念藥王菩薩藥上菩薩七徧白湯送下見王肯堂類方

菩提萬應丸治夏秋一切時症中暑霍亂瘧痢等症輕者一服重者二服神效有力者宜修方以濟世陳皮厚朴姜汁拌炒蒼朮米泔浸炒半夏姜汁拌香附柴胡薄荷黃芩枳殼各一兩四錢山查麥芽炒神麯砂仁各二兩藿香甘草各五錢用乾荷葉煎湯拌前藥

晒乾為末煉蜜為丸彈子每丸重一錢隨引服之感冒及瘟疫時症頭痛骨痛咳嗽痰喘用生姜三片葱白二根煎湯調服泄瀉姜茶湯調服水瀉若小便不通口渴用淡竹葉十片燈心十五根煎湯調服久瀉不止用糯米飲調服多服自效瘧疾白滚水加姜汁調服久瘧體虛人參湯調服霍亂吐瀉用胡椒七粒菉荳四十九粒煎湯調服心胃痛用檳榔煎湯服黄疸用茵陳湯調服多服有效其餘山嵐瘴氣水土不服胸膈不舒宿食不消一切雜証或在路途無引

俱用清茶白滾水下孕婦忌服

神效寸金丹治男婦老幼中風中寒中暑口眼歪斜牙關緊急霍亂吐瀉腹痛轉筋或內傷飲食胃口停痰胸膈脹悶不思飲食水土不服惡心吐瀉及四時感冒瘧痢傷寒頭疼發熱惡寒無汗傷風咳嗽山嵐瘴氣噯氣吞酸產後昏悶惡露不止小兒急慢驚風以上俱用淡姜湯下大人一二丸小兒半丸未愈再服

薄荷烏藥赤茯苓紫蘇防風砂仁羌活前胡半夏姜汁拌炒厚朴姜汁拌炒木香蒼术米泔水浸炒川芎

酒浸炒藿香白芷陳皮香附酒浸炒神曲炒枳殼麩皮炒各三錢白豆蔻三錢五分炙甘草一錢五分草菓一錢共為細末用神曲二兩三錢為末姜汁打糊和前末搗勻為錠或為丸每重二錢陰乾飛過硃砂為衣再用金箔為衣淡姜湯磨服

張虛靖天師解毒辟疫丹一名太乙救苦丹治一切急症審病用引麻黃杜蘓葉並晒净末一兩五錢升麻桔梗並焙净末各三十兩廣藿香晒净末三十兩明雄黃水飛晒乾净末三十兩廣皮焙净末三十兩金

銀花晒净末三十两錦紋大黄炒净末廿一两山茨菇焙净末廿一两川五棓焙净末廿一两廣木香忌見火十五两蒼朮米泔水浸晒乾取净末十五两山荳根焙净末十五两大半夏滚水泡七次晒乾取净末十五两飯赤荳焙净末六十两丹参焙净末六十两鬼箭羽炒取净末六十两草藥店買劈砂水飛三次净末十两千金子去油取净霜末十二两紅芽大戟焙取净末十二两雌黄水飛取净末十二两北細辛忌火取净末十二两川烏去臍焙取净末十二两

滑石水飛取淨末十四兩麝香研淨末三兩以上共二十七味各磨極細末每樣另自包好開明其藥選吉期宜辰日龍虎日天德月德黃道日預先齋戒數日擇一靜室精心修治分兩照前方不可輕重君臣相配為效陳設拜禱重合勻以糯米粉糊和之石柏杵千下勿令雞犬婦人孝服并不修容止之人見之用範之印成錠每重一錢陰乾作三次用之凡天行時疫以一錠用絳囊盛之懸之當胸或繫左肘諸邪退避與病人同床共處永無纏染之患如邪已中人

伏藏未發略見寒熱恍惚昏悶喉燥頭疼等症服之即安瘟疫陰陽二毒傷寒心悶狂言亂語胸膈壅滞邪毒驟發急服此丹霍亂吐瀉自汗腹痛中蠱毒狐狸鼠莽毒菌河豚死牛馬并鳥獸毒小兒急慢驚風五疳五痢癮疹瘡瘤一切卒症牙関緊閉以上諸症並用薄荷湯磨化服中風中氣口眼歪斜言語蹇澀牙関緊急筋脉攣縮骨節風腫手脚疼痛行步艱難婦人腹中結塊并經水過期不止鬼胎鬼氣腹中作痞但正孕忌服男婦頭痛頭暈急中顛邪狂亂失心

猪顛羊顛風等証並用三白酒磨服如飲食中毒山嵐瘴氣邪瘧惡痢取東流水煎桃枝湯磨服傳屍癆瘵溺死縊死魘死及怪迷死胸中尚温者並用清水磨服惟瘧必須未發前二時服赤痢血痢凉水服白痢姜湯服心脾痛酒磨服或淡姜湯服牙疼酒磨塗患處及嚼少許呑下諸痔便毒堅硬未成膿者清水磨服癰疽發背無名疔毒對口天蛇頭一切惡瘡諸瘤未破用淡酒磨服及冷水磨塗瘡上日夜各數次已潰者不宜服湯火傷鼠傷蜈蚣蛇傷皆用水磨塗

患處并用酒磨服此藥乃衛生至寶萬勿火烘盬滓
汗污穢觸孕婦忌服
許真君七寶如意仙丹服之者照依藥引百病皆活有
力之家廣行施濟功莫大焉川烏泡去皮尖黃連去
蘆鬚人參去蘆茯苓去皮乾姜慢火煨桔梗去蘆肉
桂去皮日晒石菖蒲洗淨厚朴去皮姜汁浸吴茱萸
去梗盬湯浸一宿炒柴胡去蘆紫苑去鬚洗淨川椒
去子炒去汗猪牙皂角去皮日晒當歸酒洗淨木香
生用大附子一個童便泡去皮臍巴豆用紙壓去油

南人用五錢以上十八味各一兩外加檳榔一兩選用道地揀淨稱明五月五日午時或每月上七日遇庚申甲子福生天德吉日預擇雞犬不聞處為丹室屏除人事先安奉真君神位具供叩陳合藥救人情旨如法炮製共為極細末入柏中杵三千下煉蜜或麵糊為丸梧桐子大上好飛過辰砂為衣潔誠收貯遇病照引五更時吞服立效禁葷腥生冷一二日瘟疫熱症三五丸俱井水下陰陽二毒傷寒傷風三五丸俱薄荷湯下陰症傷寒九丸姜湯下鬼祟邪氣七

丸嵐瘴不服水土時災伏屍傳癆五癇怔忡各三丸顛狂七丸俱黑棗煎湯下大麻風成塊遍身麻木面如蟲行口眼歪斜脫眉爛肉七丸左癱右瘓偏正頭風五丸鶴膝紫白癜風、癬三丸或五丸俱荊芥煎生酒下誤吞毒藥九丸消渴泄瀉三丸諸痢大小便閉七丸腮腫丹瘤癱疽疔癧七丸俱溫酒下赤痢黃連煎湯下白痢甘草煎湯下膈氣五般食積心腹膨脹心氣疼痛五丸或七丸氣喘咳嗽三丸或五丸俱生薑湯下反胃吐食五丸或七丸蓽澄茄湯下腸中氣塊五丸煨姜湯下腹中塊痛五丸或七丸皂角煎酒下痞積五丸蓬术生姜湯下腰背痛三五丸塩湯下十種水氣五丸茯苓湯下黄疸五丸茵陳湯下蠱脹五丸或七丸甘草湯下五瘧三五丸桃枝湯下五淋五丸燈草湯下虫積三丸史君子湯下癭蟲三丸甘遂湯下腸風臟毒三丸陳米湯下膀胱疝氣三丸研蘿蔔子或茴香湯下諸痔三丸淡礬湯下婦人血崩五丸百草霜調酒下血暈頭痛三丸姜湯下血癆咳嗽三丸荆芥湯下血氣刺痛三丸牛膝湯下月水

不調子宮冷不受孕，咲孕哭五丸艾醋湯下赤白帶三丸絲綿燒灰調酒下産後腹痛下血五丸阿膠酒下死胎七丸苧麻煎酒下鬼胎三丸紙書鐘馗二字化入白滚湯下小兒急慢驚風一歲一丸三歲三丸金銀花蘇薄荷湯下氣痛一歲一丸三歲三丸姜湯下疳蟲一歲一丸三歲三丸史君子湯下睡涎咬牙一歲一丸三歲三丸俱淡鹽湯下以上藥引倘一時不便止用白滚湯下孕婦忌服如常人往病家出入者當以絳紗爲囊入丹三丸佩帶最能辟惡除邪

經商遊宦攜之可以自攝亦便濟人凡合一料能濟千人總以齋戒沐浴虔誠修製雖沉痾奇恙每有起死回生之功予因為好善樂施者勸焉

觀音大士救苦神膏此方係唐天師誠心濟世往求大士賜以良方曰以三十六天罡攻之于外以菩提水一杯應之于內萬病皆除矣菩提水即甘草湯也久病即七日愈新病三日即愈危病不待日者作丸如豆大每服七粒滚水送下即甦真神方也凡合此膏須虔誠齋戒於靜室內供設

大士寶座以柳枝攪油熬膏時口念
大士寶號一心存濟世之心則百發百中但熬膏切忌汚穢及婦人雞犬生人沖破之類又懷孕未經滿月者忌貼大黃甘遂草麻子各二兩歸身一兩五錢莪术草烏木鱉子三稜生地各二兩川烏黄栢大戟巴豆肉桂麻黄皂角白芷羌活枳寔各八錢香附芫花天花粉桃仁研厚朴杏仁研檳榔細辛全蝎倍子甲片獨活玄參防風各七錢蛇脫五錢大蜈蚣十條用真香油六觔浸五日煎去渣至滴水成珠加蜜陀僧

四兩飛過黄丹二觔四兩熬至不老不嫩收貯放地下出火毒三日随病攤膏遇病用引偏正頭風左患貼左右患貼右正患貼印堂或撚條塞鼻孔中立效口内常嚼甘草咽之眼科七十二種赤腫病將耳上角用針刺出血貼上星脹翳膜搼毛倒睫迎風流淚等症搼條塞鼻孔中左患塞左右患塞右數十年者亦效常嚼甘草湯咽之咽喉三十六症單蛾雙蛾閉喉風貼上口嚼甘草如欲速效將膏口含化下立愈牙痛風牙火牙虫牙虛痛飲食難進頭面赤腫貼上

痛止即能飲食勿服甘草丸種心痛貼前後心常服甘草湯病急垂危者作丸服不必服甘草諸般腹痛如胃口痛貼胃口丹田痛貼丹田滿腹痛貼肚臍服甘草湯如病危急者作丸服不必服甘草中風癱瘓左患貼左右患貼右飲甘草湯口眼歪斜亦隨患貼不省人事痰聲如鋸作丸清湯下若牙關緊閉用鐵筋撬開作丸塞入口中用滚水灌下否則作條插鼻中瘧疾初起者俱貼臍上飲甘草湯如發過四五次者作丸早發一時吞下飲熱酒數盃當日便不發忌

飲甘草湯各種痢疾俱貼胃口肚臍四五日即愈若久不愈者紅痢用龍眼殼核七枚打碎煎湯送膏丸白痢用荔子殼核七枚送膏丸赤白兼者龍眼荔子殼核各七枚敲碎煎湯送膏丸下不必服甘草湯癆瘵病内有癆虫者貼夾脊穴尾閭肚臍等處口飲甘草湯七日而癆虫盡死咳嗽吐痰貼前後心仍要服清淡滋陰降火補藥禁内吞服膨脹小肚脹氣脹俱貼臍下丹田肚臍常服甘草湯如塞在喉中咽不下即貼喉外口含甘草如欲速效作丸服之滚水送下

不必服甘草湯噎膈諸症俱貼胃口肚臍常服甘草湯如塞在喉中咽不下即貼喉外口含甘草如欲速效作丸服之滾水送下不必甘草湯哮喘咳嗽痰火症俱貼前後心如吞服不必甘草湯大小便閉俱貼肚臍飲甘草湯自通如急在旦夕作丸服滾水下小腹用甘草末葱汁調敷立通傷寒時疫貼肚臍飲甘草酒一醉汗出即愈如五六日不便作丸吞下便解而痊婦人赤白帶下俱貼臍下丹田常服甘草湯難產逆產橫產及胞衣不下俱作丸服熱酒吞下立刻

便産如産門小復煎甘草湯頻洗不可服甘草湯婦人經閉不通俱貼肚臍下丹田常服甘草湯如病久作丸服小腹上再用甘草末葱汁調敷立通不可服甘草湯血塊痞積貼肚臍并痞上飲甘草若人壯健作丸服之一日便瀉出矣虛弱者宜外貼小兒驚風目翻上痰壅氣塞不通作條塞鼻貼一膏于臍上如急極作丸服之不可服甘草湯小兒諸疳症貼肚臍口疳貼牙牀如貼在臍腰可服甘草湯若貼在口禁服甘草湯外科疔瘡內服外貼勿飲甘草湯背疽各

癰癤俱貼患處日飲甘草湯如腸癰肺癰俱作丸服兼貼肺腫上勿飲甘草湯瘋瘡脚氣數十年不愈者攤絹上貼之盖以竹箬用帯縛定每日一洗一換十日愈矣痔漏内則捲條捲入外則貼之飲甘草湯便血腸紅貼肚臍飲甘草湯吐血鼻血貼兩足心飲甘草湯夢洩白濁貼肚臍飲甘草湯此膏凡内服忌服甘草外貼必用甘草湯切宜記之

神授回生丹見崑山進士方範註刻感應篇後蘇郡葉天時古方選註内亦載錦紋大黄一觔為末蘇木三

兩打碎河水五碗煎汁三碗聽用大黑荳三升水浸
取殼用絹袋盛殼同荳煮熟去荳不用將殼晒乾汁
留用紅花三兩炒黃色入好酒四碗煎三五滾去渣
存汁聽用米醋九觔陳者佳將大黃末一觔入淨鍋
下米醋三觔文火熬之以長木筯不住手攪之成膏
又加醋三觔次第加至共醋九觔畢然後加黑荳汁
三碗再熬次下蘇木汁次下紅花汁熬成大黃膏取
入瓦盆覆之大黃鍋粑亦鏟下入後藥同磨人參二
兩當歸一兩酒洗川芎酒洗香附醋炒玄胡索醋炒

蒼术米泔水浸炒蒲黃隔紙炒茯苓桃仁去皮尖各
一兩川牛膝酒洗炙甘草地榆酒洗羌活橘紅白芍
酒洗五靈脂醋煮焙乾三稜醋浸透紙裹煨馬鞭草
以上各五錢木瓜青皮去穰炒白术米泔水浸炒秋
葵子以上各三錢烏藥二兩五錢去皮良姜木香各
四錢乳香没藥各二錢益母草二兩懷熟地一兩萸
肉五錢酒浸蒸搗爛入藥晒右三十味并前黑荳殼
共晒乾為末入石柏内下大黃膏拌勻再下熟蜜一
觔共搗千杵為丸重二錢七八分靜室陰乾須二十

餘日不可日晒火烘乾後止重二錢有零鎔蠟護之所謂蠟丸也用時去蠟殼調服其引各有所宜開列于後

一難產橫生用參湯服一二丸即下如無參用淡炒鹽湯亦可因氣血虛損以致難產者宜多用人參凡兒手足先出非催生藥可入必須穩婆先將手足推入方可用藥催之切記

一子死腹中因產母染熱病所致用車前子一錢煎湯調服二三丸無不下者若因血下太早子死腹中

用人参車前子各一錢煎湯服如無参用陳酒少許

煎車前湯下

一胎衣不下用炒鹽少許泡湯調服一丸或二三丸

一産後血暈用薄荷湯調服一丸即醒

以上四條乃臨産緊要關頭即有名醫一時措手不

及此丹必須預備

一産後三日血暈起止不得眼見黑花以滾水調服

此丹即愈

一産後七日血氣未定因食物與血結聚胸中口乾

心悶煩渴滚水下愈

一產後虛羸熱入于心肺脾胃寒熱似瘧而實非瘧也滚水下此丹愈

一產後敗血走注五臟轉滿四肢停留化為腫脹煩渴四肢覺寒乃血腫非水腫也服此丹愈

一產後敗血熱極心中煩躁言語顛狂非風邪也滚水服此丹

一產後敗血流塞肺孔失音用甘菊花三分桔梗二分煎湯調服

一產後誤食酸寒堅硬之物與血相搏流入大腸不得尅化泄痢濃血用山查煎湯調服

一生產時百節開張血傳經絡日久虛脹酸疼用蘇梗三分煎湯調服此丹

一產後飲食失節兼致怒氣餘血流入小腸閉却水道小便澁結溺血似鷄肝木通四分煎湯調服或流入大腸大便秘結有瘀成塊如雞肝者用廣皮三分煎湯調服此丹

一產後惡露未淨寒熱及飲食不調以致崩漏形如

肝色潮熱煩悶背膊拘急用白朮三分廣皮二分煎湯服

一產後血停于脾胃脹滿嘔吐非翻胃也用陳皮湯服

一產後敗血入五臟六腑并走肌膚四肢面黃口乾鼻中流血遍身斑點危候也陳酒化服此丹可愈

一產後小便澀大便閉乍寒乍熱如醉如癡滚水調服愈

以上十三條皆產後敗血為害也故此丹最有奇功

至產後一切異症醫所不識服此無不立效

仙傳回生丹始末方範曰先祖主事節菴公未遇時祖母宋安人難于產每有性命憂不得已為墮胎計從鄭太醫乞煎劑投之至再勿效鄭聞而驚曰吾此劑無虛發者今至再而勿害必貴胎也亟安之時公家于邑之南新瀆村暇時偶獨步村西見一道者持筐坐塘涇橋下心異而與之語灑然有物外之致筐內有回生丹一封因請焉遂手授公曰藥止一丸用之神效他日依方自製但不可輕示人耳公出金為酧

嚴而却歸視其方平、也及産服其方立應是生吾父世矯亭公官學士越四年復孕即自製服之效自前遂生吾叔改亭公官御史其他投之無不奇驗然後知往日所遇者仙也而其方仙方也始珍藏而珍傳之以及不佞範凡百五十餘年不啻拱璧邇日莊誦感應篇見一善即有思齊心見一惡即有內省心以致濟急救危二語豁然有悟而以此方刻而公之以附于濟急救危之義蓋生育所愚不肖所恒然二命存亡在呼吸間其危急爲何如而此方萬投萬應

良非小補遂附篇末庶幾哉篇中所稱百善之一也願我同志處心脩製博施貧人并傳報四方共行方便瀉

如意太和丹治男婦老幼一切雜症審病用引神效修合此丹必須預先齋戒擇一靜室選天氣清朗之吉日更妙各為極細末蜜丸如彈子大俟八分乾硃砂為衣若得禮玉樞經懺并化入雷符三道其效尤速有力者脩合施濟頗妙防風羌活知母蜜炙甘草薄荷枳殻麩皮炒黃芩酒炒萸肉穀芽木通廣皮木香

白芍酒炒神曲澤瀉各三兩熟地九兩白术香附山藥茯苓鈎藤丹皮歸身酒炒半夏姜汁炒各五兩病於風鈎藤薄荷湯下病於寒生姜花椒湯下病於暑青蒿蘇葉湯下病於濕陳皮木通湯下病於燥麻仁白蜜湯下病於火麥冬燈心湯下病於食穀芽陳皮湯下病於痰貝母姜汁湯病於疫桃枝降香湯下病於氣砂仁藿香湯下病於血當歸艾葉湯下病於弱桂圓蓮子湯下

紫金錠一名玉樞丹一名萬病解疫丹山茹菇去皮洗

净焙乾二两川文蛤焙乾二两麝香三錢千金子去油色白為度一两紅芽大戟杭省者佳一两硃砂水飛過一两雄黃三錢此方宜端午七夕重九或天德黃道上吉日修合以靜室中將前药各磨極細末用糯米濃飲調和於木臼内杵千餘下極光潤為度每錠重一錢每服一錠此丹通治百病凡居家出門須珍倫之臨用照病用引服此药忌甘物并甘草數日如急症不及磨化杵細用亦可孕婦忌服山嵐瘴氣暑暍途行及空心感觸穢惡用少許噙嚼則邪毒不

侵中風卒倒痰涎壅盛牙關緊急姜湯磨服咽閉喉風薄荷湯磨服膨脹噎嗝麥芽湯磨服絞腸腹痛霍亂吐瀉姜湯下中蠱毒及諸藥飲食河魨惡菌死畜等肉滾水磨服得吐利即解癰疽發背無名疔腫一切陰陽惡毒惡瘡無灰酒磨服取汗并涼水磨塗已潰勿服蛇蝎瘋犬并毒蟲傷無灰酒磨服涼水磨外塗陰陽二毒狂言煩悶躁亂不寧涼水磨服赤痢涼水磨服白痢姜湯磨服邪瘧溫好酒磨服小兒痰涎壅急慢驚風薄荷湯磨服婦人經阻不通紅花煎酒

磨服縊溺驚魘氣未絕者姜湯磨灌下時行疫氣常
用焚燒不致傳染
神功保赤丹治小兒百病審病用引神效無比予每將此丹虔誠修合施送應病無不見效勝抱龍丸多矣天竹黃犀角尖防風前胡姜蚕山查羌活穀芽廣皮藿香各二錢鈎藤明琥珀史君子薄荷硃砂神曲白术川貝茯神各三錢川連木香各一錢梅花片真西黃各五分蟾胆三枚各為極細末煉白蜜和丸如桐子大郎用硃砂為衣每服三丸對症用引急慢驚風

鈎籐薄荷湯下五癇搐逆引同上潮熱昏悶葱頭燈心湯下乳停食滯山查麥芽湯下濕熱虫積使君子濃煎湯下虛弱黃瘦陳皮白朮湯下痰涎壅塞竹瀝姜汁湯下霍亂吐瀉藿香薄荷湯下胸腹絞痛香薷蘇葉湯下赤白痢疾銀花甘草湯下驚癇夜啼鈎籐燈心湯下客忤瘛瘲桃枝金器湯下

錢仲陽先生活幼萬全丹治小兒痘瘡不論初起灌漿收靨俱用之神效無比人參五錢白朮四錢茯苓二錢五分白芍五錢生甘草一錢五分元參四錢蟬退

五分柴胡一錢黃連三分神曲一錢五分山查一錢各為細末水打成丸如菉荳大遇前症以一錢未起者即起已起者即灌漿不收靨者收靨神奇之極毋視為尋常也願將此方廣傳人世

紫陽真人搐鼻丹歌曰乳没沉香三味硇砂皂角良姜細辛官桂與雄黃巴荳川芎的當硃砂硼砂血竭等分為末麝香少許棗肉成釀搗爛丸如山相不管心疼腹痛那怕痧子絞腸赤白痢疾病休慌瘧疾牙疼止望一粒塞於鼻内教君即刻安康呼吸補瀉最為

良志者囊中常放

食忌急救門

鱉不可與莧同食昔温華郎中因併食之如此苦腹痛每作時幾不知人疑鱉所致而未審乃以二物令小蒼頭食之遂得病與華類而委頓尤劇未幾遽死昇尸致馬廐未斂忽小鱉無數自九竅中出廐中惟遇白馬溺即化為水華聞自臨視措聚衆鱉以馬溺灌之果化為水于是華飲馬溺遂瘥或云白馬溺更良

瑣碎錄

鱉不可與紅柿同食昌國人買得鱉十數枚痛飲大嚼且食紅柿至夜忽大吐繼之以血昏不知人病垂殆同邸有知其故者憂之忽一道人云唯木香可解但深夜無此物偶有木香餅之一貼試用之病人口已噤遂調藥灌之即漸甦吐定而愈 百一方

黃顙魚不可與荊芥同食吳人魏幾道在外家啖魚羹罷採荊芥和茶而飲少刺足底奇癢上徹心肺跣足行沙中馳宕如狂足皮皆破欲裂急求解毒藥餌之

幾兩月乃止溪澗中石斑小魚亦與荆芥反諸魚皆
忌
生葱不可與生蜜同食韶州月華寺側民家設僧供新
蜜方熟羣僧飽食之有兩僧還至半途過村墟賣鮓
買食盡半斤是夕兩僧皆死
木鱉子不可與猪肉同食山塘吳氏年二十餘患便毒
清晨服木鱉子藥午後飽啖猪肉須臾叫躁死又一
富人生二子恣其食啖遂成痞疾其父得一方用木
鱉子煮猪肉同食須臾二子皆死

蕎麥不可與石膏同食曾見鄉人食蕎麥餅服石膏而死者人莫知其故又一婦人欲自盡市砒市人疑以石膏與子歸以和蕎麥麪作餅食亦死始知二物相反

南瓜不可與羊肉同食犯之立死七說皆見名醫類案

葵菜不可與鯉魚同食犯之殺人服百藥皆忌食葵

葱不可與雞雉白犬肉同食

食騾肉不可與酒同食致暴疾殺人

鯽魚子不可與麥冬同食犯之殺人

黄蠟不可與鷄同食犯之令人氣塞而死

蕎麥不可與白礬同食犯之亦死同猪肉食能落眉髮

七說竝見壽世青編

李子忌與雀同食

鴨忌與鱉蒜李同食

牛肉忌與醋同食

烏雞忌與鯉魚同食

羊心有孔者食之殺人

馬肉無益不冝食

馬汗氣及毛悮入食中害人凡有陰瘡者近之殺人大抵萬物異常者皆不宜服如禽肝青者獸赤足者有岐尾者肉落地不沾塵者煮熟不斂水者煮不熟者禽獸自死無傷處者犬懸蹄肉中有星如米者雞六指四距者玄鷄白頭雞并野禽生子有八字紋者死不伸足者口目不閉者羊一角者白烏烏頭烏鷄白首白馬青汗者經宿尚煖者曝炙不燥者入水自動者兎死而合眼者羊脯三日後有虫如馬尾者祭肉自動者諸肉脯米甕中久藏者皆有大毒竝殺人孔

聖云魚餒肉敗不食是也凡鱉三足者目赤者獨目白目腹下紅者生王字形者蛇紋者切不可食如蟹背有星點生脚不全獨螯獨目足斑目赤腹下有毛腹中有骨者並殺人魚有異色者酒無影者冬瓜兩蒂者諸菓雙仁者諸瓜沉者李子浮者梨大如斗者如芹菜赤色者並害人

老雞頭不可食昔姑蘇一人游商在外其妻畜鷄數隻以俟其歸凡數年而返一日殺而食之殆盡抵夜其夫死鄰家疑其有外姦首之官婦人不禁拷打遂自

誣太守姚公疑之乃以情問婦，以食鷄對太守覔鷄令囚遍食之果殺二人獄遂白蓋鷄食蜈蚣久而畜毒故養生家不食此 類案

三足鱉不可食太倉州民道見漁者持一鱉生三足異而買歸令婦烹之既熟呼婦共飡婦不欲食出坐堂外久不聞夫聲入視已失所在地上止存髮一縷衣服冠履事，皆在如脫形者驚怖號喚里甲以婦為謀殺夫而詐讓也官為鞫之得其情乃原婦罪

瓶花水不可食宋汪待舉字懷中守處州郡部民有飲

客者客醉卧於空室中夜醒酒渴索漿不得水乃取花瓶水飲之次早啟户客死矣其家訟於官待舉究舍宇所有物性瓶浸旱蓮而已細鞫之訟乃白一云瓶浸蠟梅

昂頭鱔魚不可食錫山縣有賣薪者性嗜鱔一日自市歸饑甚妻烹鱔以進恣啖之腹痛而死鄰保謂妻毒夫執送官拷訊無據械繫踰年縣令閲其牘疑中鱔毒召漁者捕鱔得數百觔悉置水缸中有昂頭出水二三寸者數之得七令異之知為他物所變其毒必

甚細為鞫冤婦冤始白解鱔鱉毒見前

荆林下不可飲食單縣有田作者其婦餉之食畢死翁姑曰婦意也陳于官不勝箠楚遂誣服是時天久不雨許其時官山東曰獄其有冤乎乃親歷其地出獄囚徧審之至餉婦乃曰夫婦相守人之至願鴆毒殺人計之至密者也焉有自餉於田而鴆之者哉遂詢其所饋飲食所經道路魚湯米飯度自荆林無他異也許乃買魚作飯投荆花于中試之狗彘無不死者婦冤遂白即日大雨如注

年久臺榭池館并籐蘿樹下不可飲食前明閩中一田姓鄉紳得一園亭掃除初就即宴邑令於園中其時盛夏蓮正茂飲將午後席未及半邑令忽瞶，不語疑爲沉醉急扶回入署未幾而殂且縣素有蠱因鬨傳邑侯爲本紳所毒事聞于上奏請逮繫獄遂成然卒無可指之實各存疑案以待再推延至十餘載欽遣恤刑往閱及半毅然曰鴆毒之施所以復讐怨即果讎而毒之焉有大設筵宴廣聚多人以肆其術之理因訊本紳以宴客之園置自何年曰係購得之非自置也訊以在內亭舍曾葺新否曰仍其舊惟加圬墁而已再訊以花樹亦蔭翳可觀否曰古樹遍園竹木亦頗叢生更訊以被罪後曾以售他人否曰得此園即膺禍人咸咎之畏不敢售故雖家業盡零而此園獨存恤刑隨呼縣令語以夙聞斯園甲茲邑當即往遊仍為廣諭士民各攜餚酒以示同樂更命家具畚鍤待命衆咸莫解所以至期恤刑攜縣令先往呼士民隨之至則啟其園除辟草萊令士民中有識宴邑令之所者指其處巍然大廈蘿積重簷蘚陳古砌

恤刑曰斯紳之寃吾得之矣命諸士民各以酒餚雜坐盡飲至醉以其餘各飲好事者盡令升高併力折毀於墻垣内得毒蛇盈數石若其不經見物則不計也恤刑曰砌古則陰沴積陰沴積則苔蘚生籐蘿附即為蛇虺窟穴之地矣而毒物又多乘陰氣以遊行若以捕生自養更以氣取宴設至夜蝇蚋之類必為叢積諸物遊行梁上吸其所欲而不得涎墜餚中誤而饜之焉不立斃若非斯園猶存寃何以白

草藥未經目者不可妄服英州僧某往州南三十里掃

塔有客船自番禺至舟中士人携一僕〻病脚弱不能行舟師憫之曰吾有一藥治此病如神既賽廟畢歛胙頗醉乃入山覓藥漬酒授病者其藥入口腸胃即痛如刀割遲明而死士人咎舟師舟師恚即收所餘葯自漬酒服之不踰時亦死蓋山多斷腸草人食之輒死而舟師所取葯為根蔓所纏結醉不暇擇徑投酒中是以及於禍則知草葯不可妄服也並見洗冤録

奇疾急救門

應聲虫病古人有將本草讀之而虫不應聲者用之即

愈此亦奇治之一法也余别有一神奇法治之省閱本草之勞神用生甘草白礬各一錢飲下即愈蓋應聲虫非虫也乃臟中毒氣有祟以憑之也用甘草以消毒白礬以消痰況二物一仁一勇余又以智用之智仁勇三者俱全祟不覺低首而却走矣岐真人別傳

按陳正敏遯齋閒覽云楊勔中年得異疾每發語腹中有小聲久者聲漸大有道士見之曰此應聲虫也但讀本草取不應者治之讀至雷丸而不應遂服雷丸頓愈

皮膚有聲或手足之間如蚯蚓唱歌者此乃水濕生虫也方用蚯蚓糞敷患處厚一寸即止鳴也再用內服方白朮五錢米仁芡實各一兩生甘草三錢黄芩二錢附子三分防風五分水煎服即愈同前

筋肉化虫覺有虫如蟹走以皮下作聲如小兒啼此筋肉之化用雄黄雷丸各一錢為末摻豬油上炙熟吃盡自愈也夏子益奇疾方

瘡口作聲人有心窩外忽然生瘡如碗大變成數口能作人聲叫喊此乃憂鬱不舒而祟憑之也用生甘草

一两人参茯神白礬各三钱金銀花三两水煎服即不鳴矣服三劑全愈蓋甘草消毒人参伏神以安心白礬以止鳴金銀花以解火熱故易以奏功也張仲景外函方

腹中兒哭用黃連煎濃汁每日呷之以愈為度熊氏補遺

氣奔怪病人忽遍身皮底混混如浪波聲癢不可忍抓之血出不能解謂之氣奔以苦杖人参青塩細辛各五錢作一服水煎飲盡即愈夏子益奇疾方

人面怪瘡如人生人面瘡口鼻俱全且能食物用貝母

末敷之而愈 同前

一方用雷丸三錢輕粉茯苓各一錢研細調勻敷上即消也 岐真人別傳

臂上生頭眼目口鼻俱全且能呼人姓名此乃債主索負之鬼結成此奇症也用人參半夏貝母白芥子茯苓生甘草青鹽各三兩白朮五兩白礬半夏各二兩為細末飯糊丸每日早晚白滚湯各下五錢漸漸縮小而愈此症初起必然臂痛發癢以手搔之漸漸長大久則漸露形大如茶盃但無頭髮鬚眉而已若用

刀割立刻死亡服煎葯後亦當懺悔為妙仝前

蛇頭瘡遍身俱有狀如蛇頭用白礬一兩好蠟七錢為丸每服十九漸加至二十九熟水送下李樓怪症奇方

渾身潦泡如甘棠梨每個破出水内有石一片如指大泡復生抽盡肌肉不可治矣急用荆三稜蓬莪术各五兩為末分三服酒調連進愈萬病回春

肉人怪病如人頂上生瘡五色若櫻桃狀破則自頂上分裂連皮剥脫至足名曰肉人常飲牛乳自消夏氏奇疾方

猫睛瘡如人遍身生瘡似猫兒眼有光彩無膿血但痛痒不常飲食減少久則透脛名曰寒瘡多吃魚雞韭葱自愈 同上

蛇尾瘡有人瘡口出數寸狀如蛇尾用硫黄末塗之即消 同上

瘡口生骨有人患腫毒潰後不時出一細骨用生桐油調密陀僧末如膏絹攤貼即愈 竇漢卿瘡瘍全書

毒生蛇形一人身上及頭面肉上浮腫如蛇形用雨滴磚上苔痕水化開塗蛇頭立消 同上

一方凡人手上皮上現蛇形一條痛不可忍此蛇乘人睡而作交感于人身乃生此怪病服湯藥難效以刀刺之出血如墨汁再用白芷末掺之少愈明日又刺血如前又以白芷末掺之二次化去其形先刺頭後刺尾不可亂也 華陀方

眼生肉線如人眼中忽生肉線二條似線香之粗觸出在外此乃祟也雖乃肝胆之火無祟則不能長此異肉法當以藥點之用氷片黃連甘草各一分硼砂半分研極細末以人乳調點肉尖上覺眼珠火炮出一

時收入而愈更須服湯葯方用白芍五錢炒梔子二錢白芥子白术茯苓各三錢陳皮甘草各一錢此方妙在舒肝胆之氣而又瀉其火與痰則本源已探其驪珠何愁怪肉之重長耶　岐真人別傳

睛垂怪症如人睛忽垂之鼻如黑角塞痛不可忍或時時大便出血痛苦名曰肝脹用羗活煎湯服数盞自愈　奇方類編

鼻生紅線長尺許少動之則痛欲死人以為嗜酒之病而予以為不然亦祟也方用硼砂氷片各一分研細

末以乳調輕輕點在紅線上忽然覺有人如將病人打一拳一般頃刻即消奇絕之方也蓋硼砂亦是殺祟之物也岐真人別傳

鼻孔毛垂有人鼻忽生毛晝夜可長一二尺漸漸粗圓如繩痛不可忍摘去復生此因食猪羊血過多所致方用生乳香硇砂各一兩為末飯丸梧子大每空心臨卧各服十丸熟水下自然退落而愈夏子益奇疾方

鼻流腥水以碗盛之有鐵色鰕魚如粳米大走躍不住以手捉之即化為水此肉壞矣任意餵雞肉愈萬病回春

耳生肉線一條手不可近色紅帶紫此腎火沸騰於耳也用硼砂氷片各一分立化為水後用六味地黃丸服之二料全愈 華陀方

六味地黃丸熟地八两萸肉山葯各四两丹皮茯苓澤瀉各三两煉蜜為丸如桐子大

穿唇出齒有人齒透唇外乃七情憂鬱火動故也方用柴胡白芍當歸生地各三錢川芎黃芩黃連各一錢天花粉二錢白菓十個清水煎服外用殭蚕一錢黃栢三錢氷片一分研末糝之齒自消矣 岐真人別傳

牙齒日長漸至難食名曰髓溢用白术煎湯漱服取效即愈 張雞峰備急良方

口生肉毬有根如線長五寸餘似釵股吐出乃能食物捻之則痛徹心腹用麝香一錢日三服自消 夏子益奇疾方

舌出不收乃陽火盛強之故以氷片少許点之即收後用黃連人參白芍各二錢菖蒲柴胡各七分二劑可愈也 岐真人别傳

舌忽縮入如人舌縮入喉嚨不語者乃寒氣結于胸腹之故急用附子二錢人參三錢白术五錢肉桂乾姜

各一錢治之則舌自舒矣同上

手足脫下此由傷寒時口渴過飲涼水以救一時之渴孰知水停腹內不能一時分消至四肢受病氣血不行久而手足先爛手指與脚指墮落之後又爛脚板久之連脚一齊墮落矣俗名刖足傷寒即此是也若有傷寒口渴過飲涼水者愈後倘手足指出水者急用後方可救指節脚板之墮落也方用生米仁三両茯苓二両白朮一両肉桂一錢車前子五錢一連十劑小便大利而手足不出水矣永無後患同上

十指斷壞惟有經連有虫如燈心長數寸餘遍身綠毛卷名曰血餘用茯苓胡黃連煎湯飲之愈　萬病回春

指甲脫下而不痛不痒此腎經上虛又以行房之後以凉水洗手遂成此病用六味地黃丸加柴胡白芍骨碎補治之而愈　岐真人別傳

四肢脫節但有皮連不能行動名曰經解用酒浸黃蘆三兩經一宿取出焙乾為末每服二錢酒調下服盡即安　同上

指縫生虫有人指縫流血不止有虫如蜉蝣之小鑽出

少頃即能飛去此由濕熱生虫而又帶風邪也凡虫感風者俱有羽翼能飛安在人身得風之氣轉不能飛也方用茯苓當歸白芍白朮各三錢黄芪熟地米仁各五錢人參柴胡荆芥川芎各一錢甘草二錢此方之妙全不去殺虫而但補其氣血而佐之去濕去風蓋人身氣血和虫自不生况又逐水消風虫更何處生活即服四劑則血不流虫不出再四劑手指完妙如初矣 同上

脚板生指有人脚板下忽生二指痛不可忍者乃濕熱

之氣結成觸犯神祇之故方用硼砂一分瓦葱一兩冰片三分人参一錢各為末以刀輕刺在生出指上即時出水數星〻在血流處隨出隨糁血盡為度流三日不流水矣而痛亦少止再服湯藥方人参生甘草牛膝萆薢白芥子各三錢白术五錢米仁一兩半夏一錢四劑可全愈而指盡化為水矣外用生肌散糁膏葯貼之同上生肌散見後

臍口忽長似蛇尾長出二寸許不痛不癢乃祟也法當以硼砂冰片麝香各一分雄黄白芷各一錢兒茶二

錢各為細末將其尾刺出血以葯點之立刻化為黑水急用白芷三錢煎湯服之而愈同上

臍中出水如人腹似鉄石臍口出水旋變作虫行之狀遶身匝豕痛癢難忍扒掃不盡濃煎蒼朮湯浴之再以蒼朮末入麝香少許水調服之竇漢卿全書

腰生肉帶如人腰間忽長一條肉痕如帶圍至臍間不痛不癢久之飲食漸減氣血枯槁此乃腎經與帶脉不和又過於行房盡情縱送乃得此疾久之帶脉氣血衰耗顏色顯然雖無大病而病實篤也法當峻補

腎水而兼補帶脉自然身壯而形消方用熟地萸肉白朮各一斤杜仲山葯各半斤破故紙白菓當歸車前子各三兩白芍六兩各為細末蜜丸每日早晚各服一兩白滚水下一料全愈然須忌房事三月否則無效也　岐真人别傳

糞門內綫　有人糞門內拖出肉綫一條似蛇非蛇或進或出便糞之時又安然無礙此乃大腸濕熱之極生此怪物長於直腸之間非蛇也乃肉也但伸縮如意又似乎蛇法當內外兼治自然消化矣內服方用當

歸白芍各一兩枳殼檳榔大黃各一錢地榆五錢蘿蔔子三錢水煎飯前服二劑後再用木耳一兩煎湯洗之洗後將氷片一分研末點之即縮進而愈神驗同上

糞門生虫不斷〻之復生行坐不得以鶴虱五錢研末水調服自愈竇漢卿瘡瘍全書

截腸怪病如人大腸頭出寸餘痛苦異常乾則退落又生名截腸病若腸盡乃不治但初截寸餘可治用脂麻油器盛之以臂坐之飲天麻子汁數升愈萬病回春

乳懸怪病婦人產後兩乳忽細長如腸垂過小肚痛不可

忽危亡須臾名曰乳懸将川芎當歸各一斤以半斤剉於瓦石器内用水濃煎不拘多少頻服再用斤半剉塊于病人桌下燒烟令患人将口鼻吸烟未愈再作一料外用萆蔴子一粒研塗頭頂心如縮即洗去 李瀕湖集簡方

發斑怪病如人眼赤鼻張大喘渾身出斑毛髮如鉄乃熱毒結于下焦也方用白礬滑石各一兩作一服煎服即愈 夏子益奇疾方

足忽出血如人足上忽毛孔標血一線流而不止即死急以米醋三升煮滚熱以兩足浸之即止再服湯葯

方用人參三錢當歸一兩川山甲一片炒為末煎參歸湯以甲片末調飲即不復發此症乃酒色過度所致世人嘗有之方書不載何也凡有皮毛出血者俱與此方救之無不神效　張仲景外函方

脉溢怪病如人毛竅節次血出少間不出即皮脹如鼓口鼻眼目俱脹名曰脉溢用生姜汁并水各一二盞服之即安　竇漢卿外科全書

灸瘡出血如人灸火至五壯血出一縷急如溺手冷欲絕以酒炒黃芩二錢為末酒下即止　同上

血潰怪症凡人目中白珠渾黑而視物如常毛髮尖直如鐵能飲食似醉不語名曰血潰以五灵脂為末白湯下二錢即愈 夏子益奇疾方

血痣潰血一人向有一痣偶抓破血出一線七日不止欲死用五灵脂末摻之即止也 同前

離魂怪病凡人自覺本形作兩人並行並卧不辨真僞此離魂病也蓋人卧魂歸于肝此由肝虛邪襲魂不歸舍用人參茯苓辰砂各一錢濃煎日飲真者氣爽假者化也 同上

好食生米男婦好食生冷留滯腸胃遂致生虫久則好食生米憔悴黃瘦不思飲食用蒼朮半斤米泔水浸一宿剉焙為末蒸餅丸梧子大每服五十丸食前米飲下日三服即愈 同上

嗜食河泥有一女每嗜河中污泥日食數碗玉田隱者以壁間敗土調水飲之即愈 同上

小兒食土取好黃土煎黃連汁收之曬乾與服即愈 同上

嗜肉恠病葉氏年近四十心嘈雜好啖肉及雞日不可缺否則身浮力倦神魂無措必急得肉乃巳見則大

嚼既入腹則又大痛〻極則吐酸水稠涎然後稍定又思啖肉也然痛雖楚尚可忍若嘈囃則遍身淫〻蘇〻實不可熬其脉大小不一皆以爲祟覌其色唇紅面黃此虫症非祟也用膩粉五錢史君子末一錢用鷄子打餅五更空心飼之辰刻下長蟯十條内二條長尺許首尾皆紅下午又下小虫百餘自後不喜啖肉矣　赤水玄珠

嗜食生油一人每飲油五升方快此乃髮入胃中血裹化為虫也用雄黃五錢水調服即愈　竇漢卿方

視物倒植一人見物皆倒植用藜蘆瓜蒂等分為末水煎服得吐而愈 同上

病笑不休用滄鹽煆赤研入河水煎沸啜之探吐々痰數碗而愈 李瀕湖方

寒热怪病因發寒热不止數日間四肢堅如石擊之若鐘磬聲日漸瘦削方用吳茱萸木香等分煎湯飲之而愈 夏子益奇疾方

二便倒換如人糞從小便出小便從大便出者名曰交腸病由夏天暑热之症古人以五苓散治之亦妙而

予更有奇方止用車前子三兩煎湯三碗一氣服完即愈　岐真人别傳

兒生無皮一小兒初生遍體無皮俱是赤肉乃因毋自懷胎十月樓居不受土氣故也將兒泥地卧一宿即長皮或用白旱米粉乾撲之候生皮乃止　名醫類案

兒生如泡一小兒初生如魚泡又如水晶碎則流水用蜜陀僧羅極細糁之即愈　同上

聞雷即昏一小兒七歲每聞雷則昏倒不知人事此氣怯也以人参麦冬當歸各二兩五味子五錢熬膏每

服三匙白湯化下盡一斤後聞雷如若矣 同上

屍厥怪症如人屍厥奄然死去腹中氣走如雷用硫黄一兩焰硝五錢細研分三服好酒煎覺烟起即止温灌之片時再服而安 竇漢卿外科全書

飲食違度一人但飲食若別有一咱喉斜過膈下經達左脇而作痞悶以手按之則歷歷有聲以控涎丹十粒服之少時痞處熱作一聲轉瀉下痰飲二升遂飲食正下而達胃矣 同上

控涎丹甘遂去心大戟去皮白芥子等分糊丸臨卧姜

湯下五七丸至十九虛弱人忌用

溺油怪病廣陵有田婦患泄瀉下惡物與油無異醫皆不識此由受驚則氣下大腸脹損所致問之果力作於傷見幼子匍匐赴火驚而急救得免遂得此疾用補中益氣湯十劑天王補心丹四兩煎劑下丸服訖而愈奇方類編

補中益氣湯黃芪人参各錢半白术陳皮當歸各五分升麻柴胡各三分生姜三片大棗三枚天王補心丹見古方神治門

肉錐怪病有人手足忽長倒生肉刺如錐痛不可忍但食葵菜即愈　夏子益奇疾方

人生鱗甲如人腹間脇上忽長鱗甲此症婦人居多男子亦間生焉蓋孽龍多化人與婦人交即成此症而男子與龍合亦間生鱗甲也此病速治為妙少遲則人必變為龍矣方用雷丸大黄白礬鉄衣雄黄各三錢研細末棗肉為丸凡患此疾酒下三錢立時便下如人精者一碗胸中便覺開爽再服三錢鱗甲盡落矣蓋雷丸無毒不散而龍又最惡雄黄故相濟而成

功況各葯又皆去毒逐水之品乎　岐真人別傳

腹生蛇毒凡腹中生蛇㝡易辨其人身上必乾涸如柴似有鱗甲者即蛇毒也此由毒氣化成或感山嵐水溢之氣或感四時不正之氣或感尸氣病氣而成也方用雄黃一兩白芷五錢生甘草二兩各為末糯米和丸如梧子大端午日修合更妙患者飯前食之食後必作痛用力忍之切不可飲水若飲水則不效矣

同上

一方此由蛇精及液沾菜上人悞食之腹内生蛇或

食蛇亦有此症其人常飢食之即吐用赤頭蜈蚣一條炙末分二服酒下 竇漢卿瘡瘍全書

虱瘤怪病一人背發一塊心甚兀〻四肢倦怠飲食不進一醫曰此虱瘤也剖開果有虱合許用生甘草泡湯洗淨拭乾將多年油木梳煅灰為末菜油調搽立愈 同上

脊縫出虱有人背脊裂開一縫出虱千餘此乃腎中有風得陽氣吹之不覺破裂而虱現方用熟地黄两各三两豨薟草三錢杜仲一两白朮五錢防已一錢二

劑裂縫生虱盡死岐真人別傳

一方用萆麻子三粒研成膏紅棗三枚去核搗成丸如彈子大火燒燻衣上則虱死而縫自合張仲景外函

喉痛怪病喉中似有物行動吐痰則痛更甚皮膚裂開有水流出目紅腫而又不痛足腫如斗而又可行真絕世不見之症此乃人食生菜有小蜈蚣在葉上不知而食之乃生蜈蚣于胃口之上入胃則胃痛上喉則喉痛飢則痛更甚也方用雞一隻煮熟五香調治芬馥之氣逼人乘病者熟睡將雞列在病人口邊則

蜈蚣自然外出倘見蜈蚣走出立時拿住不可令其仍入口中或一條或数條出盡自愈大約喉間無物走動則無蜈蚣矣然後以生甘草三錢米仁當歸黃芪各一兩茯苓白芍各四錢防風荆芥各一錢陳皮八分水煎服十劑皮膚之裂自愈而雙足如斗亦消矣 華陀方

腿腫如石有人大腿腫痛如石欲以繩繫足高懸梁上其痛乃止放下疼即如砍腿中大响一聲前腫即移大臂之上腫如巴斗不能着席將布兜之懸掛其疼

乃止此亦祟憑之也用生甘草一兩白芍三兩水煎服益生甘草專瀉毒氣白芍平肝木以止痛也痛止則腫可消毒出則祟可杜也　張仲景外函方

遍身疙疽如人身上遍生疙疽或内如核塊或外如蘑菇香蕈木耳之狀者乃濕熱而生也數年之後必然破孔出血而死法當内外並施外治方蒼耳子草一斤荆芥苦參白芷各三兩水一大鍋煎湯傾在浴盆内外用席圍之熱則燻温則洗洗至水冷而止三日後乃用内服煎方白术芡實各五錢米仁一兩茵陳

白芥子半夏澤瀉黃芩各三錢附子一錢人參隨用水煎服十劑自然全消無踪矣外邊亦無不消也同上

腫塊生蛇一人背脊疼痛而又無腫塊久則腫矣長有尺許一條直似立在脊上予乃用刀輕輕破其皮而蛇忽躍出其人驚絶予用人參一兩半夏南星各三錢附子一錢治之忽甦以生肌散敷其患處而愈予問其何故而背忽痛耶彼人云我至一廟見塑一女像甚覺美麗非常偶興雲雨之思頓起脊背之痛今三月以來痛不可忍若有蛇鑽毒刺光景余心疑似

生怪物觀其人又強壯故用刀刺開皮肉不意蛇出而人竟死也余隨用前葯名三生飲救之而愈可立醫案以見病之奇而神道之不可玩也同上

生肌散人参兒茶五棓子三七各一兩乳香去油藤黃各三錢血竭五錢貝母二錢輕粉氷片各一錢研極細末以無聲為度此方兼治癰疽發背一切瘡口不收用之神效無比

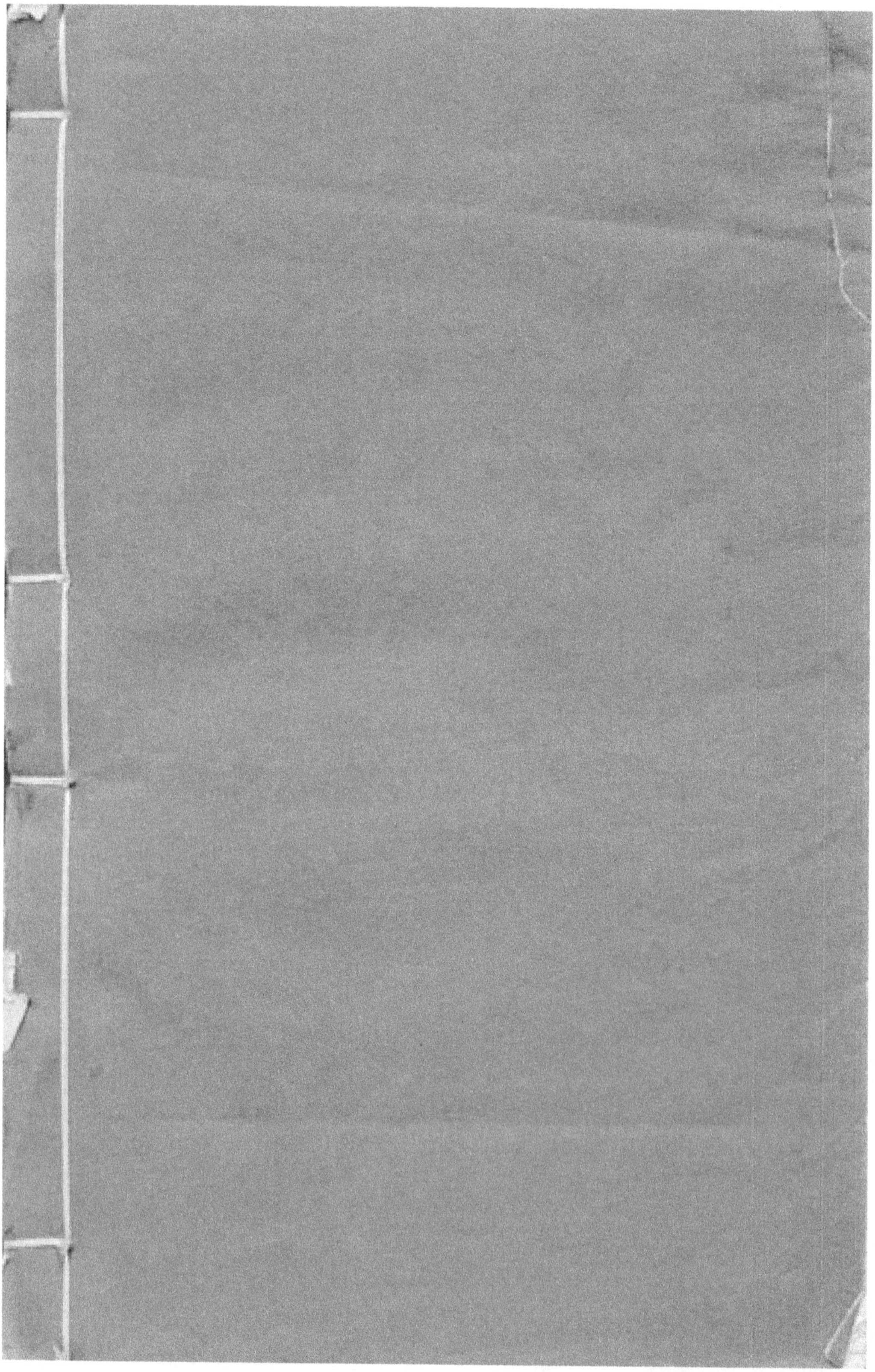